Criez au caméléon :
sois fier de ta lumière !

Être raciste,
c'est se mettre seul dans son coin,
à mourir d'ennui...

La loi de la France interdit
le racisme. Pourquoi n'est-elle
pas respectée par tous ?

Droit : espace vert
que nous accorde la loi.

J'ai rencontré un serpent aveugle
se nourrissant de plantes carnivores.
C'était le racisme.

...drey, Sofia, Fabrice, Angèle, Rudy, Saloua, Franc...

...te
...ce.

...e, Najah, Antoine, Eugénie, Waesta, Fabrice, Sabine...

Gilbert, Houssine, Carole, Bich Thuy, Hinde, Nora, Naïma, Vincent

*Merci aux élèves
du collège Politzer à Montreuil (93)
et à leur professeur
Laurence Ryf-Gaulier
pour les textes qui illustrent
les pages de garde de cet ouvrage.*

Conception et réalisation graphique : Didier Gonord
Iconographie : Sophie Jouanen et Alain Serres
Photo de couverture et de page de titre : André Lejarre / Le bar Floréal
ISBN : 978-2-915569-94-0

LE GRAND LIVRE CONTRE LE RACISME

Sous la direction d'Alain Serres

Mouloud Aounit
Chérifa Benabdessadok
Laurent Canat
Bernard Épin
Jean-Marie Henry
Albert Jacquard
Thierry Lenain
Susie Morgenstern
Yves Pinguilly
Michel Piquemal
Alain Serres
Bertrand Solet

Illustrations de Zaü

RUE DU MONDE

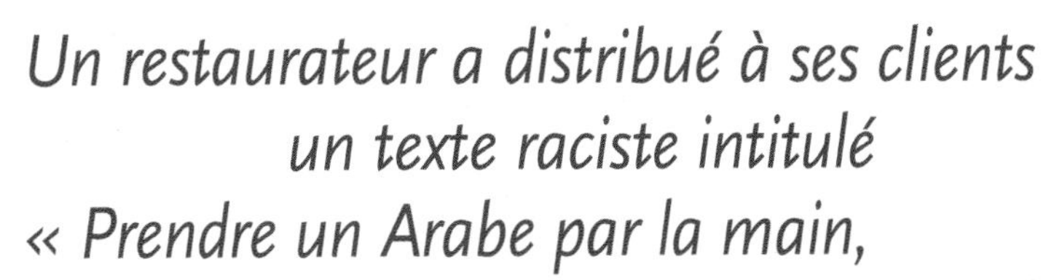

Un restaurateur a distribué à ses clients
un texte raciste intitulé
« Prendre un Arabe par la main,
pour le balancer sous un train ».
À chanter sur l'air de la célèbre
chanson d'Yves Duteil :
Prendre un enfant par la main.

Le racisme, est une insulte
à l'intelligence
des hommes

US AVEZ DIT RACISME ?

Par Alain Serres

C'est l'imbécillité raciste à l'état pur qui tombe heureusement sous le coup de la loi : prison avec sursis, amende, privation des droits civiques, civils et de famille pendant un an, dédommagement au MRAP (Mouvement contre le racisme et pour l'amitié entre les peuples) et à la LICRA (Ligue internationale contre le racisme et l'antisémitisme), les associations antiracistes qui avaient porté plainte. Même quand le racisme s'en tient ainsi aux mots, il doit être sanctionné. Parce que derrière les mots pointent les actes.

Des mots aux actes racistes

L'un s'appelle Stéphane. L'autre s'appelait Abou. Le premier, très énervé, ayant trop bu, clame par la fenêtre de son immeuble des injures racistes. Il veut « niquer les Noirs et les Arabes ». Il prend sa voiture, fonce. Sur sa route, il croise le second. Abou a 13 ans, il fait tranquillement du vélo dans sa cité du Val-d'Oise mais il est noir. Stéphane le renverse. Abou meurt. C'est le racisme assassin qui se nourrit des mots pour en venir aux actes, au crime, un soir d'été où tout dérape.

Couleurs complémentaires au Centre de formation du PSG Thierry Ardouin / Tendance Floue

Justice
Chaque année en France, ce sont une cinquantaine d'actes racistes qui sont sanctionnés par la Justice. La moitié relève de l'antisémitisme (racisme à l'égard des juifs).

À ces délits il faut ajouter ceux qui sont parfois inspirés par des motifs racistes sans que cela puisse être vraiment prouvé.

Entre les mots prononcés, parfois même dans une cour d'école sur le ton de l'humour, et le crime, il y a toute la palette, la sinistre palette des attitudes ou des délits racistes. Les insultes gratuites, blessantes. Une entrée refusée en discothèque. Une histoire d'amour bicolore qui déplaît aux parents. Un stage difficile à trouver parce que l'on a la peau trop foncée. Un emploi refusé, cent fois refusé, parce qu'on ne « correspond pas au profil... européen » ou un logement interdit parce que les habitants de l'immeuble n'aimeraient pas trop « en voir de toutes les couleurs ».

Heureusement qu'il y a aussi la palette des amitiés ! Elle sait mettre des couleurs chaleureuses aux visages des collèges ou des cités ; une fête, un tournoi de basket, une soirée pâtisserie... Dès que des propos racistes fusent de la bouche d'un jeune, dix autres sont là pour le ramener à la raison. Si l'affaire est plus grave, c'est tout un quartier, une ville qui peut se mobiliser pour faire rempart contre la haine. Ainsi quand Ibrahim Ali, lycéen d'origine comorienne, est assassiné en 1995 à Marseille par des colleurs d'affiches du Front National, c'est toutes communautés confondues que la ville crie sa colère et sa solidarité avec la famille et les amis de la victime.
La chaîne humaine s'agrandit et l'on a aujourd'hui le sentiment que le racisme recule enfin. Cela se voit : les Français gagnent quand ils sont réunis sur le terrain de foot, l'Europe se construit par-delà les frontières, le Top 50 chante aussi en arabe... On imagine facilement un

Cours de rap à Montreuil (93) Mat Jacob / Tendance Floue

avenir « tout couleurs » mais attention ! Le racisme est insidieux. Il se faufile sans que l'on s'en aperçoive dans les failles de notre réflexion et dans les angoisses de notre vie. Il nous mène vite à nous tromper de colère et à mettre tous les maux sur le dos de celui qui est différent. Il nous pousse à croire par exemple que le chômage est causé par ceux qui travaillent et qui sont parfois d'origine étrangère, nous dissimulant les véritables raisons du manque d'emplois nouveaux.

Étrange étranger ?

Il faut parler directement : c'est un peu chacun de nous qui trouve l'étranger étrange alors que l'on considère les vieilles connaissances plutôt rassurantes ! L'esprit de compétition de la société, ses manies de classification, ses tendances à vouloir uniformiser le moindre relief, tout cela favorise nos jugements hâtifs. Quand, de plus, le manque d'argent jette de l'huile sur le feu et crée des rivalités, à chaque instant on peut se laisser surprendre par un sentiment pas très accueillant : la tentation du rejet de l'autre. Celui qui nous dérange parce qu'il est justement l'autre. Il faut pourtant s'y résoudre ! Nous sommes tous nés quelque part, et de

Le Nouvel an chinois à Paris
Christian Bellavia / Éditing

Cartes postales
En Turquie, pour dire oui d'un signe de la tête, on la tourne de gauche à droite alors qu'en France on hoche la tête de haut en bas. Dans les pays catholiques d'Europe, les rites liés à la mort exigent par exemple le recueillement pour la Toussaint alors qu'au Mexique, également catholique, le jour de la fête des morts on s'amuse et on se régale de squelettes en sucre...

ce lieu, de ce moment, de cette famille qui nous fait apparaître, naît notre différence. Nos deux parents nous lèguent notre carte d'identité biologique ; on ressemble un peu aux deux, parfois à d'autres membres de la famille. Mais c'est aussi tout le groupe humain dans lequel on vit, la région, le pays, la tribu qui nous aident à construire notre manière d'être, notre comportement : manger, se saluer, s'embrasser, se moucher, se marier, faire la fête ou célébrer les morts. Ces pratiques nous paraissent normales et presque naturelles. Elles changent pourtant beaucoup d'un point à l'autre du monde. Et les habitudes, les coutumes des autres nous surprennent. On se laisse parfois aller à dire « je ne suis pas raciste mais quand même... »

La géographie de nos vies

Dès les premières heures de la vie, la famille dans laquelle on va grandir nous donne des signes de sa culture : une façon de caresser, de prendre et porter le bébé, de le laver. Depuis ces premiers instants, chaque geste quotidien induira une manière d'appréhender le monde et construira à la fois notre différence et notre lien au groupe.

On dit par exemple des peuples plus bavards que d'autres, plus guerriers ou moins ouverts. C'est que le lieu où l'on vit donne des occasions différentes d'évoluer. Près d'un port, on voit débarquer beaucoup de monde, d'idées nouvelles. Dans une vallée isolée au creux d'un massif montagneux, on vit davantage face à soi-même. La diversité de l'alimentation dont on dispose, la présence ou non d'industries, de moyens d'information, le climat, l'histoire, tout cela génère aussi des comportements, des caractères différents et influe même sur notre aspect physique. Ainsi la nécessité de grimper, de chasser, de vivre dans la nature a fait que beaucoup de peuples africains ont fini par avoir un corps adapté à ces tâches, la vie sélectionnant les individus les plus efficaces. De plus, vivre dans un pays pauvre d'Afrique et devoir se déplacer souvent à pied donne sûrement envie de se distinguer par des performances sportives. Tenter de réussir sa vie là où c'est plus difficile qu'ailleurs est aussi un stimulant sportif, dans un pays du tiers-monde ou bien aux États-Unis qui comptent beaucoup de Noirs parmi leurs champions.

C'est du côté de ces héritages que s'inscrivent nos différences, et non pas dans nos gènes. On peut donc très bien être un jeune Noir dont la famille originaire du Kenya vit en France tout en n'étant pas un coureur de fond d'envergure olympique ! Il n'y a pas plus de

Des chiffres et des lettres

Ceux que nous utilisons pour nous exprimer et calculer nous ont été apportés par des voyageurs. Aux Phéniciens (de la région du Liban actuel), on doit notre alphabet. Ils l'utilisaient quinze siècles avant J.-C. Les chiffres proviennent quant à eux de la culture arabe qui s'est très tôt distinguée par ses apports aux sciences. Dans cette langue, le mot *sifr* signifie *zéro*. Ce chiffre est une invention déterminante dans l'histoire des mathématiques.

gène sportif qu'il n'y en a pour l'intelligence. N'en déplaise aux racistes qui préféreraient que le monde soit simple, en noir et blanc !

Bien dans sa peau

Notre épiderme contient des mélanocytes, cellules capables de produire de la mélanine sous l'effet des rayons ultraviolets émis par le soleil. Ce pigment noir nous en protège.

Il est responsable du brunissement de la peau qui dans les pays très exposés peut donc devenir noire.

La Terre, un seul village ?

Les pratiques culturelles qui nous font vivre différemment aux quatre coins de la Terre évoluent au fil des générations. Heureusement ! parce que certaines de ces coutumes peuvent être aliénantes. Comment admettre par exemple les mutilations sexuelles des petites filles en Afrique sous prétexte de traditions ?
Avec les populations qui se déplacent, échangent de plus en plus, tout bouge. La cuisine circule et les pizzas de Naples croisent le canard laqué de Pékin dans les rues de San Francisco. Les mots des uns s'installent dans les dictionnaires des autres et le *pyjama* indien habille désormais le petit Européen. Et puis dans un même groupe, nous ne vivons pas tous de manière identique. Les cloisons hermétiques qui permettraient de classer les humains de par leur mode de vie n'existeront donc jamais. D'autant plus que tout va encore évoluer ! Plus qu'autrefois, on peut étudier à l'étranger, voyager, rencontrer des immigrés venus de loin et donc emprunter aux autres tout en leur léguant un peu de nous-mêmes. Certains parlent de mondialisation pour évoquer une certaine interdépendance des pays, des cultures mais cela s'applique davantage à l'économie ; les grandes entreprises ayant intérêt à repousser toujours plus loin les frontières.

Le risque d'uniformisation est pourtant réel et chaque peuple doit être inventif pour parvenir à échanger avec tous les autres sans pour autant effacer sa personnalité au point de ne plus exister. Ainsi la Terre pourra peut-être devenir un paisible village où chaque maison serait une porte ouverte sur une découverte. Et dans chaque maison, chaque habitant offrirait son aventure originale aux autres. Un beau rêve qui doit nous donner envie de savoir et de comprendre pour faire plus vite disparaître le racisme de la planète.

À l'école, les différences se rencontrent

Bernard Baudin / Le bar Floréal

Olivier Culman / Tendance Floue

Bébés d'ici, bébés de là-bas

Dès les premières heures de la vie, nous sommes plongés dans un bain de traditions et de pratiques qui fait que nous grandissons différemment en Angola ou en Corée, à Brest ou à Bangkok. Tous ces faits et gestes quotidiens contribuent à ce que nous sommes. Ce sont les premiers signes de la culture qui sera la nôtre.

L'eau du bain

Dans plusieurs pays d'Afrique, on lave les nourrissons dans des bains de tisanes de plantes aromatiques. Et l'on n'hésite pas à faire boire un peu de l'eau parfumée du bain au bébé pour le protéger d'éventuelles maladies.
Aux quatre coins du monde, des mères s'appliquent à « cracher » de l'eau sur leur bébé pour effectuer leur toilette. En fait, elles pulvérisent de l'eau ou l'envoient en jet avec leur bouche, comme en Guyane par exemple, pour qu'elle soit plus tiède, plus agréable sur la peau du bébé.

Un bébé, ça se décore

Que ce soit pour protéger les enfants contre les mauvais esprits ou simplement contre les moustiques, il est courant que l'on peigne les bébés. Ainsi les Kayapos du Brésil les recouvrent de teinture noire.
En Namibie, on marche pendant des jours pour trouver de l'hématite, une pierre rare qui permet de préparer une poudre rouge, symbole de vie. Elle sert à peindre le visage des nouveau-nés. Parfois c'est simplement pour une fête ou pour le plaisir que l'on agrémente le corps des bébés de couleurs vives.

Des caresses et des baisers

Dans certaines tribus d'Afrique, comme chez les Pygmées, on ne s'embrasse pas entre adultes, on réserve l'exclusivité des baisers aux bébés. En Mongolie, on inspire, on renifle le bébé pour le câliner et dans beaucoup d'endroits du monde, par pudeur, on préfère montrer son affection autrement : les soins très fréquents ou le port du bébé tout contre le corps.

Ces manières de vivre changent le visage de la petite enfance de par le monde. Plutôt que d'opposer des cultures, elles offrent mille visages pour un même amour.

La plupart de ces informations proviennent de *Bébés du monde* de Béatrice Fontanel et Claire d'Harcourt, Éditions de La Martinière.

Nous et les autres, quelle étonnante histoire !

Elle passionne depuis toujours les écrivains, les politiques, les artistes, tous les hommes en fait. Et parmi eux, les savants qui nous aident à comprendre.

ÉGAUX ET DIFFÉRENTS PAR NATURE

Par Albert Jacquard

Je suis biologiste et ma spécialité scientifique est la génétique, le cœur de notre histoire, depuis son tout début.
Notre Terre a quatre milliards et demi d'années et... pas mal de chance. En effet, elle se trouve à la bonne distance du soleil pour qu'il y ait de l'eau, elle est entourée d'une atmosphère et il s'y passe des quantités de choses. Mais parmi ces quantités de choses, qu'est-ce qui a été le plus important pour notre histoire ?

Ce tournant qui a **tout changé**

Le plus important ? Beaucoup de gens répondent : « C'est l'apparition de la vie ». Je n'y crois pas du tout. Ce qui s'est passé, c'est que, peu à peu, toutes sortes de molécules se sont créées, ces molécules ont interagi comme elles savent le faire : les unes avec les autres. Pendant les trois ou quatre premiers milliards d'années de la vie de la planète une vaste expérience de chimie se produisait au fond des océans qui étaient très chauds (70 degrés). Toutes sortes de nouvelles molécules apparaissaient. Et parmi elles, est donc arrivé l'ADN,

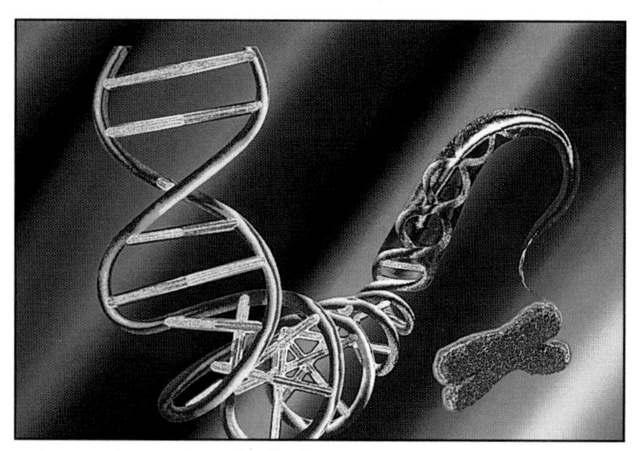

L'ADN, la molécule de la vie
Patrick Michel / Philippe Hurlin / Gamma

Recherche sur le génome humain
Patrick Allard / RÉA

cet acide désoxyribonucléique qui porte l'information génétique et contrôle l'activité des cellules qui nous constituent.

L'ADN a été capable de fabriquer d'autres molécules qui se sont mises autour de lui pour donner des petits objets que l'on appelle des bactéries. Ces ancêtres des êtres vivants d'aujourd'hui, microscopiques et unicellulaires, digéraient, respiraient, se reproduisaient mais ils se reproduisaient vraiment. C'est-à-dire qu'ils fabriquaient chacun le double d'eux-mêmes. Ce n'était pas très drôle. Vous imaginez que l'on soit capable de se reproduire ? Il y a un Albert Jacquard, puis deux, puis quatre... C'est de plus en plus ennuyeux et surtout ça fait du nombre mais ça ne fait pas du neuf sur la Terre ! Puis voilà qu'un jour s'est produit l'événement le plus décisif de cette étonnante histoire. C'est l'arrivée de deux petites bactéries quelconques qui ont voulu se reproduire toutes seules comme l'avait fait l'être dont elles étaient le double. Alors elles ont dédoublé en elles leurs chromosomes mais elles n'ont pas réussi. Au fond, c'étaient deux bactéries ratées qui venaient d'inventer l'inimaginable : s'y mettre à deux pour en faire un troisième, différent des deux premiers. Un incroyable bouleversement.

Bébé Neurone

Un petit humain possède au moins 100 milliards de cellules dans le cerveau (des neurones).

À sa naissance, il n'y a pas beaucoup de connexions entre toutes ces cellules. C'est en agissant, en découvrant la vie qu'il va contribuer à les développer. À 15 ans, à son apogée, il bénéficie de 10 000 connexions par neurone soit 1 million de milliards de connexions.

Comme un grand jeu de hasard

Il y a encore 130 ans, tout le monde pensait que ce n'était pas possible de faire naître un être différent. Des Grecs jusqu'à l'*Encyclopédie* de Diderot, tout le monde disait : « En apparence, nous avons deux géniteurs mais un individu ne peut pas avoir deux sources. Il n'y en a donc qu'une qui compte, le père ! ». C'est en 1866 que l'on a compris comment ces transmissions des caractères héréditaires pouvaient fonctionner et cela grâce à Johann Mendel, un moine passionné par la procréation. On raconte qu'en observant des petits pois, il a découvert que nous ne sommes pas des individus

Ado Neurone

En 15 années,
soit en 500 millions
de secondes,
un enfant crée
1 million de milliards
de connexions.

Durant cette période,
il met donc en place
2 millions de connexions
à chaque seconde !
Comment ?
En montant une marche,
goûtant du sel
ou en regardant la lune
dans la nuit.
En vivant avec les autres.

Des sextuplés, leur vie fait la différence
D. David / Gamma

(indivisibles) mais des dividus (divisibles). Quand un homme veut faire le seul acte vraiment sérieux du point de vue biologique au cours de sa vie, c'est-à-dire faire des enfants, il n'en est pas capable seul. Sa compagne non plus n'en est pas capable. Lui sait faire des spermatozoïdes, elle, des ovules. C'est tout.

Mais quand on fait se rencontrer des spermatozoïdes et des ovules, tout change. On ne s'additionne pas. On ne se substitue pas à l'autre ; on se coupe en deux et on joue à la loterie : la moitié du hasard de l'un rencontre la moitié du hasard de l'autre. Le résultat est complètement invraisemblable, imprévisible. Il n'est pas étonnant que l'on soit étonné... devant le bébé qui en résulte puisqu'il est sorti du hasard, comme tiré au sort dans un gigantesque ensemble d'autres possibles ! Bien sûr, on ressemble à papa, à maman, à Tante Adèle mais tout cela est une apparence. En fait, chacun de nous est unique. Si l'humanité tentait pendant des milliards d'années de nous refaire, elle n'y arriverait jamais.

Ce quelqu'un d'unique est en plus le résultat de toute l'évolution qui a eu lieu depuis qu'à deux on en fait un troisième. Quand la vie ne faisait que se reproduire, le monde ne s'en trouvait pas vraiment modifié. Depuis que les bactéries s'y sont mises à deux, on fait vraiment de l'inédit. Sur le chemin de cette évolution, un beau jour on voit apparaître des mammifères puis, plus tard, ce primate complètement ridicule en tant que primate : *l'Homo*. Peu à peu *Homo habilis* puis *sapiens*, puis *Homo sapiens sapiens*, celui que nous sommes aujourd'hui et qui continue d'évoluer en faisant naître, à chaque fois qu'il donne la vie, lui aussi de l'inédit.

Race : humaine

Les généticiens du 21e siècle nous expliquent que les populations qui constituent l'espèce humaine ont des patrimoines génétiques spécifiques mais insuffisamment hermétiques et différenciés pour pouvoir tracer des frontières entre des « races », ou hiérarchiser ces groupes.

Même la couleur de peau ne permet aucune classification. Quatre populations : **les Sara** (au Tchad), **les Chaouias** (en Algérie), **les Bushmen** (du Botswana) et **les Belges** réunissent à elles seules toute la palette des nuances.

Moi, je, vous, les autres

Dès sa naissance, un bébé échange avec son milieu. À chaque geste, chaque regard, il s'enrichit, se développe. Cette fabuleuse construction de chaque instant ramène encore de l'inattendu et du neuf. Elle lui permet en plus de rencontrer les autres. Il ne faut pas oublier en effet que notre espèce se distingue essentiellement par une particularité : chacun d'entre nous est capable d'une métamorphose. Je n'étais qu'un objet fabriqué par la nature et je suis devenu une personne ; ce n'est pas rien. C'est-à-dire que je suis capable de dire « moi, je ». Ni mon patrimoine génétique ni la nature ne me l'ont appris. Non, si je suis capable de dire « moi, je », de savoir que je suis quelqu'un, d'y réfléchir, c'est que cela m'est venu d'ailleurs. La seule réponse possible, c'est que ça m'est venu des autres. Par conséquent, l'important dans notre espèce, c'est la rencontre de l'autre, c'est l'échange avec les autres. Quelquefois être d'accord, quelquefois n'être pas d'accord, mais devenir soi à travers eux.

Effectivement, nous sommes sur cette petite Terre l'aboutissement d'un processus qui a été lancé il y a un peu moins d'un milliard d'années : la procréation qui n'a rien à voir avec la pâle reproduction dont nous parlions. Si nous n'étions que des primates, ça ne servirait pas à grand-chose. Nous avons été faits, en plus de ce que nous a apporté la nature, par les autres. Nous sommes chacun le produit de tous ceux que nous avons rencontrés. Nous sommes profondément les liens que nous tissons avec eux. Tisser des liens, c'est l'objectif de toute collectivité, de vous qui lisez ce livre et de ceux qui l'ont écrit ou fabriqué. Cela nous distingue fondamentalement des primates.

Le racisme, c'est la négation de cette histoire des hommes qui nous dit combien l'autre est précieux à notre propre identité.

Le racisme veut aussi tout ignorer de la science qui prouve que dans nos gènes ne sont pas inscrites une supériorité des uns sur les autres, une distinction des uns contre tous les autres. Y sont gravés bien au contraire, depuis le début, la nécessité biologique de l'autre et le besoin vital de sa précieuse différence.

Qui se ressemble s'assemble
Meyer / Tendance Floue

Le temps de l'homme

Atahualpa Yupanqui

La particule cosmique qui navigue en mon sang
est un monde infini de forces sidérales.
Elle vint à moi au bout d'un long chemin de millénaires
quand pour les pieds de l'air je fus peut-être sable.

Ensuite je fus le bois. Racine désespérée,
plongée dans le silence d'un désert sans eau.
Puis je fus coquillage, ailleurs, je ne sais où,
et la mer me donna sa première parole.

Ensuite la forme humaine déploya sur le monde
l'universel drapeau du muscle et des larmes.
Et le blasphème grandit sur la vieille terre,
le safran, le tilleul, la copla, la prière.

Je vins alors en Amérique pour naître Homme.
Pampa, mont et forêt, tout ne fit qu'un en moi.
L'aïeul de la plaine galopa jusqu'à mon berceau,
l'autre me dit des contes dans sa flûte de roseau.

Je n'étudie les choses ni ne veux les entendre,
mais je les reconnais pour y avoir vécu.
Je parle avec les feuilles au milieu des forêts
et reçois les messages des racines secrètes.

Et je vais par le monde, au hasard et sans âge,
gardé par un Cosmos qui chemine avec moi.
J'aime la lumière, le fleuve, le silence et l'étoile
et fleuris en guitares d'avoir été le bois.

Airs indiens, traduit par Sarah Leibovici,
éditions Pierre Jean Oswald.

Comme depuis le début de l'histoire de l'humanité,
on ne se ressemble pas vraiment
et que l'on vit tous différemment,

le racisme est apparu très tôt
entre les Terriens.

Pour défendre leurs intérêts,
les hommes préhistoriques ont vite pris pour cible
ceux de l'autre vallée, de l'autre plateau.

LE RACISME UNE HISTOIRE QUI DATE

Par Alain Serres

Avec l'apparition progressive de l'agriculture et de l'élevage, la rivalité autour des richesses s'est accentuée au néolithique. Comme en plus de convoiter le gibier de leurs forêts et leurs plantations, ceux d'à côté ne communiquaient pas de la même manière et n'avaient pas forcément la même tête... il valait mieux s'en méfier !

Tout au long de l'histoire, l'autre, l'étranger a été suspecté. S'il est minoritaire et faible, on le combat. Pour peu qu'il gêne le pouvoir politique ou le monde de l'argent on s'en débarrasse ! Ce sont en effet très souvent les intérêts économiques, des individus ou des nations, qui prévalent. Pour les défendre il est tellement facile de s'appuyer sur des préjugés racistes et de trouver des boucs émissaires coupables de tout !

Mais c'est aussi pour gagner de l'argent plus facilement que l'on a asservi des hommes venus d'ailleurs sous prétexte de leur origine différente. L'esclavage a été institué par les puissants dès l'Antiquité pour se garantir la main-d'œuvre la moins coûteuse et la plus soumise à leurs exigences. En Égypte, des dizaines de milliers d'esclaves, conquis lors de guerres, ont construit les pyramides. Ils venaient souvent du Sud et avaient la peau brune. En Grèce, même si on invente les grands principes de la démocratie, des marchés aux esclaves sont organisés, comme dans l'île de Délos. Quant à l'Empire romain, il fait converger vers la Méditerranée de longs convois d'esclaves de Germanie, de Gaule ou du Caucase pour travailler les champs, faire des routes et servir de domestiques.

La révolte organisée par l'esclave Spartacus en 73 avant J.-C. est entrée dans la légende pour rappeler les souffrances que ces hommes et ces femmes devaient endurer. Ce berger venu de l'actuelle Bulgarie servait de gladiateur près de Naples. Après s'être enfui, il est rejoint par des dizaines de milliers d'esclaves qu'il essaie de ramener dans leur patrie. Dix légions romaines viendront à bout

Esclave romain jeté aux murènes
Jean-Loup Charmet

Spartacus
Jean-Loup Charmet

Un anthropologue enquêtant au Laos, en 1861
Jean-Loup Charmet

de la rébellion. Six mille esclaves révoltés sont faits prisonniers et sont crucifiés le long de la Voie Apienne menant aux portes de Rome. Du 2e au 4e siècle, les empereurs romains agiront avec la même cruauté contre les premiers chrétiens qui mourront par milliers.

Au Moyen Âge, l'Europe catholique interdit l'esclavage des siens réservant ce traitement aux étrangers, même baptisés. Et c'est peu à peu la servitude des paysans, attachés à la terre de leur seigneur, qui assurera une main-d'œuvre peu coûteuse. Toute cette période est marquée par l'intolérance religieuse à l'encontre des juifs, des catholiques hérétiques ou des cathares. Au 13e siècle, l'Église organisera ainsi la terrible Inquisition qui ordonne la torture ou le bûcher pour quiconque ne s'aligne pas sur les thèses du Pape. Au cours des siècles suivants, l'humanité vivra de longues phases dramatiques en relation directe avec le racisme ; des moments fondateurs du visage actuel du monde que les chapitres suivants de ce livre relatent.

Les Cagots

Sans constituer de groupe ethnique particulier, les Cagots étaient rejetés dans le Sud-Ouest de la France. Jusqu'au 17e siècle, des lois leur interdisaient de toucher des marchandises, de se mêler à la population...
Des bénitiers spécifiques leur étaient même réservés dans les églises.

Derrière les mots

Le mot racisme *est apparu bien plus tard.* À la fin du 19e siècle, certains essaient de théoriser sur « l'inégalité des races » pour justifier les comportements colonialistes des Européens à travers

L'exposition de la honte

En 1931, la France organise à Paris une exposition présentant les richesses et curiosités issues des nombreuses colonies qu'elle possède à l'époque.

On peut y voir notamment un groupe de Kanaks, vivant en Nouvelle-Calédonie, présentés dans une cage comme des animaux dangereux. Certains de ces hommes seront même échangés contre des crocodiles pour le compte d'un zoo allemand !

le monde. Des anthropologues comme les Français Vacher de la Pouge ou de Gobineau tentent de définir l'identité de prétendues races en partant toujours d'un préalable : les Européens sont des êtres supérieurs. Même s'ils ne parviendront jamais à le démontrer, et pour cause, ils inspireront d'autres écrits. Ainsi Charles Maurras est l'un des tous premiers à utiliser le mot *raciste*, en 1895. Il poussera ses théories haineuses à l'extrême et sera condamné en 1944 à la prison à perpétuité pour son attitude pendant la Deuxième Guerre mondiale au service de la barbarie nazie.

Dans les années 80, en France mais aussi dans d'autres pays européens, les difficultés économiques et les circonstances politiques ont favorisé une nouvelle montée des thèses racistes essentiellement à l'encontre des immigrés. Un parti politique, le Front National, continue de se nourrir de ce mouvement. Il l'alimente aussi de campagnes où la haine des étrangers fait office de programme. Ses dirigeants sont allés jusqu'à remettre en cause de manière très grave la réalité du génocide des juifs organisé par l'Allemagne nazie. À *racisme* qui nomme le rejet de l'autre du fait de ses origines ethniques, un autre mot est souvent accolé : *xénophobie*. Il désigne

Manifestation contre le Front National
A. Van der Stegen / Éditing

plus précisément le rejet de l'étranger (du grec *xénos* : *étranger*). Les deux termes sont difficiles à dissocier tant ces sentiments d'hostilité sont mêlés. Ils expriment le refus de toute différence et vont souvent de pair avec l'intolérance.

Ainsi quand, en 1492, les Espagnols entament la colonisation des terres indiennes d'Amérique niant aux Indiens le statut d'humain, le roi Ferdinand et la reine Isabelle la Catholique qui règnent sur l'Espagne chassent, la même année, tous les juifs espagnols de leur royaume. Ceux-ci sont contraints à fuir vers la France, la Turquie, les Pays-Bas ou l'Angleterre. Deux situations bien différentes mais un même mépris de l'autre qui conduira au premier grand génocide de l'histoire, celui des Indiens d'Amérique.

Danger

Le 1er mai 2002, les Français se sont mobilisés en masse pour faire barrage, au-delà des clivages politiques traditionnels, à la montée électorale du Front National.

Nous avons tous appris dans nos livres d'histoire qu'en 1492,

« Christophe Colomb
a découvert l'Amérique ».

Or ce continent était déjà peuplé.

Par Michel Piquemal

Le territoire américain était déjà peuplé par des hommes venus du nord de l'Asie, des Indiens, comme Colomb les a baptisés à tort, se croyant arrivé aux Indes. Depuis 40 000 ans. 40 000 ans pour découvrir, les premiers, un immense territoire naturel aussi vaste que varié fait de plaines, de montagnes, de forêts, de déserts et de glaces. 40 000 ans pour en percer déjà bien des mystères.

Sanglante découverte

Quand les conquistadors espagnols débarquent, ils trouvent des dizaines de tribus aux savoir-faire diversifiés. Elles entretiennent entre elles des relations politiques et d'échanges autour du cuivre, des fourrures, de la pêche. Christophe Colomb écrit à la reine et au roi d'Espagne : « Ces gens sont si dociles, si pacifiques que je puis assurer à Vos Majestés qu'il n'existe pas de meilleure nation dans le monde. Ils aiment leurs prochains comme leurs semblables, leur parler est toujours doux, gentil et accompagné d'un sourire ». Pourtant le génocide ne tarde pas à commencer. Puisque la Bible

À Cuba, en 1522, l'Indien rebelle Guama et ses compagnons résistent aux Espagnols.

Tupac Amaru

Les Incas résistent. Ils tiennent tête aux Espagnols pendant trente-six ans. Mais en 1572, les canons et les arquebuses donnent l'assaut final. Tupac Amaru, le dernier roi inca à peine âgé de 15 ans, est décapité en public sur la place de Cuzco devant des milliers d'Indiens qui hurlent leur douleur. Il demeure aujourd'hui au Pérou le symbole de la résistance indienne.

n'en parle pas, ces étranges individus ne peuvent pas être des créatures de Dieu dotées d'une âme. Ces sauvages et sauvagesses, comme on l'a dit jusqu'au 19e siècle, doivent s'apparenter à des êtres intermédiaires entre l'homme et l'animal ! Les représentants de l'Espagne catholique, Colomb en tête, décident alors d'en faire des chrétiens par la force. La véritable sauvagerie est de ce côté. Les massacres se succèdent. Les Espagnols réduisent des milliers d'Indiens à l'esclavage avec cruauté. Avec leurs chevaux, leurs armes à feu, leurs armures et leurs chiens de combat, ils terrorisent des tribus entières et écrasent toute opposition.

Un prêtre dominicain, Bartolomé de Las Casas, prend la défense des indigènes. Il fait parvenir au roi un mémoire dans lequel il dénonce la brutalité des conquérants. Il révèle que 90 % des Indiens exploités dans les mines d'or décèdent au bout de trois mois, exténués. Il raconte par exemple comment les Indiens doivent se tenir sous la table des Espagnols pendant leur repas pour attraper les os qu'on leur jette. Ils doivent ensuite les broyer avec des pierres pour enrichir leur pain d'herbes et de racines.

Le prêtre n'est pas entendu. L'appât de l'or est plus fort. La conquête s'étend rapidement à tout le sud de l'Amérique où les Incas, les Mayas, les Araucans et les autres populations installées de part et d'autre de la cordillère des Andes verront leurs civilisations détruites au fil des siècles.

À la table maya

Sur leurs terres qu'ils savaient parfaitement irriguer, les Mayas (dans le sud de l'actuel Mexique) cultivaient au 15e siècle le maïs, le manioc, les haricots, les tomates, le poivre, les avocats, le cacao...

Autant de produits, alors totalement inconnus en Europe, que l'on trouve aujourd'hui dans notre alimentation quotidienne.

Une longue histoire

Au 16e et 17e siècle, les Anglais et les Français qui ont débarqué au Nord du continent s'imposent avec une barbarie similaire. Les Anglais inventent même au Canada la première guerre bactériologique : ils disséminent dans la forêt des vêtements infectés du microbe de la variole pour répandre la terrible maladie auprès des Pequots et des Mohawks. Français et Anglais vont faire des terres indiennes leur propre champ de bataille, se disputant territoires, pouvoir et alliances avec certaines tribus. Les colons anglais l'emportent et finissent même par obtenir l'indépendance américaine vis-à-vis de la Couronne britannique en 1783. Une fois de plus, les Indiens

en feront les frais. La naissance et le développement des États-Unis sont en effet une longue succession de massacres, de vols de terres, de traités signés puis aussitôt bafoués, de déportations de population.

Un proverbe sévit à cette époque : « Un bon Indien est un Indien mort ». On les repousse toujours plus loin vers les déserts, les montagnes, les marécages et chaque fois que de l'or est trouvé dans les montagnes, du pétrole dans les déserts, on les chasse encore.

Les Chipewyans traquaient le caribou, les Tlingits pêchaient le saumon dans les rivières du Nord-Ouest, les Sioux, les Cheyennes chassaient les bisons dans les grandes plaines, les Navajos cultivaient le maïs, les Cherokees et les Creeks étaient agriculteurs... Du jour au lendemain, les terres de leurs tribus sont décrétées propriété privée d'un Blanc. Il est interdit d'y chasser, couper du bois ou cueillir des fruits ! Par la violence, on les prive de leurs moyens de survie, on les oblige à abandonner leurs croyances, leurs coutumes et on les relègue dans quelques réserves placées sous le contrôle de l'armée. Malgré la résistance de nombreuses tribus, la conquête de l'Ouest

Wounded Knee

En 1890, le vieux chef Sitting Bull est tué le 15 décembre et, deux semaines plus tard, le dernier grand massacre commis par l'armée américaine sur son territoire a lieu à Wounded Knee (Dakota) : 120 hommes, 230 femmes et enfants sont exterminés à la mitrailleuse. Principalement des Lakotas, des Oglalas, des Minneconjus. Le Président Washington voulait ainsi en finir avec la résistance indienne.

En 1973, de jeunes Indiens en armes occupent symboliquement ce lieu en signe de révolte contre la misère des réserves.

De violents affrontements ont lieu avec la police. Deux jeunes Indiens sont tués.

Sharita-Rish, chef kansas
Smithonian Institution

Le 500e anniversaire de la découverte de l'Amérique fêté par les Indiens
Lehman / Saba / RÉA

du continent américain est ainsi marquée par leur quasi-disparition. Certains estiment que trois siècles après l'arrivée de Christophe Colomb les 850 000 Indiens de l'époque ne sont plus que 50 000.

Être Indien demain

Au début du 20e siècle, les Indiens, devenus citoyens américains, sont parmi les plus pauvres de ce pays. Leurs enfants doivent aller à l'école des Blancs perdre leur langue et leur identité. Des femmes indiennes sont stérilisées contre leur gré afin qu'elles n'aient plus d'enfants et les terres des réserves se réduisent comme peau de chagrin. Encore aujourd'hui, on vit mal dans ces derniers îlots indiens. Frappés par le chômage, les descendants

Indiens aujourd'hui

Le mot *indien*, utilisé pour nommer les premiers habitants de tout le continent américain, désigne en fait bien des peuples différents. Nomades ou sédentaires des plaines désertiques, des montagnes ou même des glaces comme les Inuits.

Leurs langues n'ont souvent rien en commun. Leurs coutumes sont extrêmement variées. De plus aujourd'hui, les Indiens se sont adaptés à la vie moderne. Les maisons ont remplacé les tipis. La voiture et le supermarché font aussi leur quotidien.

Ils sont 2,5 millions en Amérique du Nord (avec le Canada).

En Amérique centrale et du Sud, où le métissage est plus réel, vivent plusieurs millions de personnes liées à ces origines.

Lehman / Saba / RÉA

Lehman / Saba / RÉA

Ci-dessus :
Dans une réserve indienne aux USA

Page de gauche :
Construction d'un tipi dans une réserve du Dakota (USA)

de Sitting Bull ou de Geronimo subissent une politique d'assistance économique qui ne fait qu'entraîner alcoolisme, suicides et détresse morale liée à l'oisiveté. Mais depuis les années 60, les jeunes générations indiennes revendiquent à nouveau leurs racines et leur dignité. Ils réclament l'enseignement de leur langue.

Les étudiants organisent des marches de protestation, des concerts ou parfois se révoltent pour faire entendre la parole des Indiens. En Amérique du Sud, la domination espagnole sur tout le territoire et celle des Portugais au Brésil ont également laissé de douloureuses traces auprès des populations indiennes qui survivent aujourd'hui dans la pauvreté. Souvent mises à l'écart de la vie et des progrès de leur pays, elles veulent se faire entendre comme dans la région des Chiapas au Mexique où le sous-commandant Marcos anime un mouvement de guerilla original.

Aujourd'hui, l'Amérique reconnaît ses fautes. Des films comme *Danse avec les loups* essaient de donner une nouvelle image de l'Indien. Des livres, des musées, des associations essaient de sauver de la pensée indienne ce qui peut encore l'être. Espérons seulement qu'il n'est pas trop tard... et que cette rencontre ratée entre l'homme blanc et l'homme rouge aura enfin lieu... avec cinq siècles de retard.

Le sous-commandant Marcos et ses guérilleros

Mat Jacob / Tendance Floue

Passez par les Chiapas *(extrait)*

Passez par Chiapas de Corzo sans prêter attention à l'usine installée par Nestlé, et entreprenez l'ascension de la montagne. Que voyez-vous ? Vous avez vu juste, vous êtes bien entré dans un autre monde : le monde indigène. Un autre monde, mais un monde de souffrances que partagent des millions d'autres gens dans le reste du pays.

Ce monde indigène est peuplé de 300 000 Tzeltals, 300 000 Tzotzils, 120 000 Chols, 90 000 Zoques et 70 000 Tojolabals. Le gouvernement suprême reconnaît que la moitié « seulement » de ces Indigènes est analphabète.

Poursuivez par la route vers la pleine montagne, et vous arrivez à la région qu'on appelle Los Altos de Chiapas (les hauteurs du Chiapas). Ici, voilà cinq cents ans, l'Indigène était majoritaire, maître et seigneur des terres et des eaux. À présent, il n'est majoritaire qu'en quantité et en pauvreté. Continuez, avancez jusqu'à San Cristobal de las Casas. C'est un grand marché : par des milliers de chemins arrive le tribut indigène au capitalisme ; Tzotzils, Tzeltals, Chols, Tojolabals et Zoques, tous apportent quelque chose : du bois, du café, du bétail, des tissus, des produits artisanaux, des fruits, des légumes, du maïs. Tous emportent quelque chose : maladie, ignorance, moquerie et mort. De l'État le plus pauvre du Mexique, c'est la plus pauvre région. (...) Mais ne vous arrêtez pas, continuez par la route, émerveillez-vous de l'infrastructure touristique : en 1988, l'État comptait 6 270 chambres d'hôtel, 139 restaurants et 42 agences de voyage ; cette année-là sont venus 58 098 touristes qui ont laissé 250 milliards de pesos entre les mains des hôteliers et des restaurateurs.

Vous avez fait le calcul ? Ça y est ? Il est bon : il y a environ 7 chambres pour 1 000 touristes, mais 0,3 lit d'hôpital pour 1 000 Chiapanèques.

Sous-commandant Marcos,
dirigeant et porte-parole de la guérilla zapatiste dans le sud-est mexicain.

Extrait de *¡Ya basta!*, traduit par Anatole Muchnik avec la collaboration de Marina Urquidi, Éditions Dagorno.

La mémoire des deux Incas *(extrait)*

Le trône d'or, étincelant
Et le berceau de ta naissance
Les vases d'or du Soleil.
Ils ont tout pris.
Tout a été réparti.
La mémoire est détruite.
Nous sommes seuls car morte est l'ombre
qui nous protège.
Et nous pleurons sans savoir
vers qui aller, vers où aller.
Nous sombrons dans le délire.

Apu Inca Atawallpaman (16e siècle)

Sauvages ?

Les vastes plaines ouvertes, les belles collines qui ondulent
et les ruisseaux qui serpentent n'étaient pas sauvages à nos yeux.
C'est seulement pour l'homme blanc que la nature était sauvage,
seulement pour lui que la terre était « infestée »
d'animaux « sauvages » et de peuplades « barbares ».

Pour nous, la terre était douce, généreuse,
et nous vivions comblés des bienfaits du Grand Mystère.
Ce n'est que lorsque l'homme poilu de l'Est est arrivé et,
dans sa folie brutale, a accumulé les injustices sur nous
et les familles que nous aimions, qu'elle nous est devenue « sauvage ».
Lorsque même les animaux de la forêt commencèrent à fuir
à son approche, alors commença pour nous « l'Ouest Sauvage ».

Luther Standing Bear, chef sioux oglala (né en 1868)

Entre le tout début du 16e siècle et le milieu du 19e siècle,
le plus grand drame que connut
l'Afrique dans son histoire,
la traite négrière,
est dû à l'irruption sur ses côtes,
des hommes blancs venus d'Europe.

L'ESCLAVAGE DES HOMMES SANS OMBRE

Par Yves Pinguilly

Partis vers les Indes pour chercher des chrétiens et des épices, selon les mots du grand navigateur Vasco de Gama, les hommes d'Europe vont découvrir les côtes africaines et s'y établir.

Les débuts d'un **effroyable marché**

Avant d'atteindre les Indes, les bateaux ont besoin de faire une ou deux escales pour se fournir en vivres frais. Ceux embarqués à Lisbonne, à Bordeaux, à Amsterdam ou à Liverpool ne suffisent pas. Alors, les grands pays d'Europe et tout d'abord le Portugal construisent des comptoirs commerciaux sur la côte africaine et des fortins pour les protéger. Ces comptoirs ravitaillent les navires et très vite font le commerce de l'or d'Afrique, de l'ivoire, de la cire, des peaux, de la gomme ou du bois précieux comme le bois d'ébène. Les hommes blancs s'installent ainsi peu à peu

La géographie de l'esclavage
Les installations européennes se positionnent tout d'abord du Sénégal au delta du Niger, elles inventent ainsi très vite sur les cartes du monde la Côte des Graines, la Côte de l'Ivoire, la Côte de l'Or et, à peine plus tard, la Côte des Esclaves.

Puis les comptoirs dépassent la seule Afrique de l'Ouest et naissent du Cap-Vert au cap de Bonne-Espérance, sur la côte du Mozambique et celle de Zanzibar.

Au 18e siècle, la France possède deux garnisons sur la côte du Sénégal, l'une à Saint-Louis, l'autre sur l'île de Gorée ainsi qu'un fort à Ouidah, sur la côte de l'actuel Bénin.

sur les contours de l'Afrique. Ils gardent toujours en vue l'ourlet blanc d'écume de l'océan, n'occupant jamais l'arrière-pays qui leur fait peur. Ils s'imaginent que les Noirs de l'intérieur du continent sont tous des cannibales, qu'ils pratiquent des sacrifices humains, qu'ils sont sans religion, bref qu'ils sont une sous-race. Quand les Amériques, qui sont découvertes depuis peu, auront besoin d'une main-d'œuvre solide pour remplacer les Indiens tués par les armadas espagnoles, quand les îles des Caraïbes voudront fournir de plus en plus de café et de cacao à l'Europe, quand les flocons de coton enneigeront de plus en plus le sud des États-Unis (dont la Louisiane qui est française à cette époque), quand le Brésil voudra voir monter plus haut la canne à sucre et le tabac, alors on n'hésitera pas. S'organisera le trafic triangulaire qui verra les hommes blancs d'Europe partir vers l'Afrique acheter à vil prix des hommes noirs, des femmes noires, des enfants noirs, et aller les revendre là-bas derrière l'océan. Ainsi débutera la traite négrière qui deviendra le commerce le plus rentable de tous les temps.

Le grand trafic triangulaire

Entre le 16e et le milieu du 17e siècle, ce sont probablement 15 400 000 êtres humains qui auront été vendus et réduits à la condition d'esclaves dans les Amériques. À ce chiffre terrible,

Esclaves lavant des diamants à Madanga, au Brésil, vers 1830
Jean-Loup Charmet

Esclaves sur un navire négrier
Roger-Viollet

Navigation négrière
Les navires négriers qui font le voyage Europe-Afrique-Amériques sont des trois-mâts. Au départ de Nantes, de Bordeaux, ou d'un autre port européen, les trente à cinquante hommes d'équipage, rarement plus, ont chargé des vivres pour eux-mêmes et les esclaves qui seront transportés : des fèves, du riz, des pois gris et blancs et un peu d'eau-de-vie. À cela s'ajouteront quelques barils de vinaigre pour désinfecter l'entre-pont et les autres lieux où les esclaves voyageront entassés.

il faut ajouter la traite négrière à travers le Sahara, la mer Rouge et l'océan Indien. Au total, on estime que 22 millions de personnes furent exportées d'Afrique noire vers le reste du monde entre 1500 et 1890. Ce chiffre signale la plus grande déportation d'hommes ayant existé dans notre monde et il faut le compléter en comptant les millions d'esclaves morts en captivité ou pendant la traversée. Certains historiens pensent que pour un esclave livré, deux mouraient.

Aux motifs économiques s'ajoutent aussi des ambitions religieuses : il faut baptiser, il faut même enseigner la véritable foi à ceux que l'on considère comme des sous-hommes perdus dans le paganisme (croyances multiples). Il faudra donc beaucoup de temps pour que les Noirs, appelés *pièces de Guinée* ou *bois d'ébène,* trouvent des défenseurs voulant abolir la traite et l'esclavage. Longtemps, l'Europe ne sera pas indignée par ce terrible commerce de chagrin et de souffrance où les Blancs traitent les Noirs comme des animaux sauvages avant de les rendre serviles pour le travail.

Outre les vivres, la cargaison de départ des navires négriers comprend aussi des marchandises de troc qui seront échangées contre les esclaves : des barres de fer, de vieilles armes à feu,

Gravure du 18e siècle

Convoi d'esclaves capturés dans des villages africains

Fortune

Au 17e siècle, acheter un bateau, son équipage, sa cargaison coûtait environ 250 000 livres à son armateur.

Sur trois ans, un profit de 550 000 livres était courant. Soit un taux de rentabilité de 70 % par an qui en faisait un placement extrêmement rémunérateur.

des couteaux, des pots d'étain, de la menue mercerie, du drap, des mouchoirs de Cholet blancs rayés de rouge et beaucoup de verroterie. Arrivé sur la côte ouest de l'Afrique, le capitaine négocie, parfois avec de petits rois africains complices, et il achète ses esclaves qui ont attendu plusieurs semaines, parqués là, près de la mer. Ce sont 300, 500 et même quelquefois 1 000 Noirs qui sont ainsi achetés et embarqués contre des pacotilles.

Le long voyage

Toujours enchaînés à bord, ces hommes obéiront sous les coups de fouet. Beaucoup mourront avant de connaître une autre terre. Ils ne seront d'ailleurs pas les seuls à mourir. Les équipages blancs connaissaient beaucoup de pertes, les matelots n'étant épargnés ni par la dysenterie, ni par la variole, ni par le scorbut et diverses fièvres putrides.

Ce commerce maritime n'était pas sans risques (maladies, révoltes à bord, navigation hasardeuse) mais un capitaine qui réussissait son voyage et qui, à l'arrivée, faisait une bonne vente de ses esclaves, compensait largement pour l'armateur la perte d'un autre navire. À son débarquement, exposé comme un animal, l'esclave sera vendu au plus offrant. Tout de suite, il travaillera dans les champs, souvent jusqu'à l'épuisement afin de produire toujours plus. Plutôt que de bien l'entretenir, il était plus simple et moins onéreux, s'il mourait, de le remplacer par un autre esclave nouvellement acheté. Le triangle était ensuite bouclé par le retour vers l'Europe des bateaux chargés de coton, de sucre ou de café.

Ce marché se poursuivit durant des décennies. En 1685, *Louis, par la grâce de Dieu roi de France et de Navarre*, Louis XIV donc, fit promulguer le *Code Noir*. Les soixante articles de ce code devaient régler la vie des esclaves afin qu'ils ne soient pas trop martyrisés par leur maître. Dans les faits, il n'améliora rien : le maître resta un maître absolu et l'esclave, un esclave absolu. L'Afrique, qui avait connu de belles civilisations et de grands empires (le royaume de Dahomey, la confédération Ashanti, les cités Haoussa, l'Empire Songhaï...), fut saignée par la perte de tant d'hommes et de femmes, tandis que l'Europe et l'Amérique s'enrichirent définitivement. À l'apogée de la traite négrière, Nantes est le plus grand port du monde en regard du tonnage de marchandises qui y sont débarquées. Aujourd'hui encore, Nantes, comme Bordeaux, garde la trace de cette richesse réalisée sur le malheur et la mort des hommes noirs. Des quartiers entiers comme l'île Feydeau avec sa rue Kervégan montrent au promeneur les belles demeures des armateurs... tout comme le Quai de la Fosse, « fosse au passé, fosse aux remords » disait le poète René-Guy Cadou.

Jean-Loup Charmet

Toussaint Louverture, qui anima les révoltes en Haïti à partir de 1792.

L'heure de la dignité retrouvée

Les révoltes d'esclaves ne tardèrent pas à se succéder sur les bateaux puis dans les plantations. Toujours réprimées dans le sang, elles firent néanmoins peu à peu s'éveiller les consciences. En France, une première abolition de l'esclavage fut proclamée par

Révolte

En 1639, à Saint-Kitts (île des Antilles), une des premières rébellions a lieu. 60 esclaves s'enfuient dans la montagne. 500 soldats prennent leur refuge d'assaut et brûlent vifs tous les fugitifs.

Les meneurs sont écartelés et leurs membres pendus aux lieux de passage les plus fréquentés.

Des pratiques esclavagistes perdurent de nos jours. Vente d'esclaves au Soudan, en 1995.
C. Galbe / Saba / RÉA

Esclavage moderne

Olivia s'occupait du bébé, mais aussi de tous les travaux ménagers. On la privait de nourriture, de sommeil, d'hygiène. Chaque jour, on l'humiliait, l'insultait, la battait. Parfois, on la brûlait avec une cigarette ou un fer à repasser. Jamais elle ne se reposait. Jamais elle n'était payée. Quand elle s'est enfuie, elle a enfin pu raconter. Son « employeur » a été condamné à 7 ans de prison. Olivia avait 15 ans et venait du Togo. Ce drame se déroule de nos jours, en France.

la Convention le 4 février 1794. Elle ne reçut jamais la moindre application et fut abrogée par Napoléon Ier en 1802. Il fallut attendre le décret du 27 avril 1848, défendu par Victor Schoelcher, pour que la France, définitivement, abolisse l'esclavage dans ses colonies.

Mais les puissances européennes colonisèrent aussitôt l'Afrique. C'est à Berlin en 1884 que l'Europe décida de se partager le continent africain. Ainsi, vers 1900, toute l'Afrique se retrouva prisonnière, soumise aux hommes blancs d'Europe. Au mot *esclavage* succéda le mot *colonialisme* et il fallut attendre la deuxième moitié du 20e siècle pour que les pays africains accèdent à l'indépendance, que ce continent meurtri tente de se construire. Que ces hommes retrouvent peu à peu leur ombre perdue.

Aujourd'hui, la douleur de cet autre temps doit tenir lieu de mémoire pour l'homme blanc et l'homme noir. Car cette douleur est partageable et c'est sur ce partage qu'un millénaire neuf est à construire entre l'Europe et l'Afrique. La France a fait un premier pas symbolique en introduisant en 2006 une Journée de commémoration de l'esclavage (le 10 mai). Mais de nombreuses voix s'élèvent pour demander surtout l'annulation de la dette des pays africains : le remboursement de l'argent qu'ils ont emprunté pour se reconstruire après ces siècles de tyrannie dévore leurs maigres finances et les empêche de se développer. Une autre forme d'esclavage, disent-elles.

L'instruction des esclaves

Je suis arrivé à la Martinique avec tous les préjugés d'Europe contre la rigueur avec laquelle on traite les nègres, et en faveur de l'instruction qu'on leur doit par le principe de notre religion... Mais l'instruction est capable de donner aux nègres ici une ouverture qui peut les conduire à d'autres connaissances, à une espèce de raisonnement. La sûreté des Blancs, moins nombreux, entourés dans leur habitation par ces gens-là, exige qu'on les tienne dans la plus profonde ignorance... Je suis parvenu à croire fermement qu'il faut mener les nègres comme des bêtes et les laisser dans l'ignorance la plus complète.

Gouverneur Fénelon (1764)

Un marché de dupes

Les marchands d'esclaves promettent à leurs prisonniers qu'ils recevront de beaux vêtements et qu'ils auront beaucoup à manger s'ils se tiennent tranquilles mais que sinon, ils les vendront à des hommes blancs, boiront leur sang et saleront leur viande. À l'arrivée au comptoir, les prisonniers voyant les Blancs manger de la viande salée, qu'ils croient être celle de leurs semblables, les voyant boire du vin rouge, qu'ils croient être du sang, tout semble leur prouver la vérité de ce qu'on leur a dit ; aussi le chagrin s'empare d'eux, la maladie s'ensuit, ce qui occasionne la mort d'une infinité d'entre eux.

Brugevin (Capitaine du vaisse au bordelais La Licorne, 1778)

Douloureuses plantations

Je ne sais pas si le café et le sucre sont nécessaires au bonheur de l'Europe, mais je sais bien que ces deux végétaux ont fait le malheur de deux parties du monde. On a dépeuplé l'Amérique afin d'avoir une terre pour les planter ; on dépeuple l'Afrique afin d'avoir une nation pour les cultiver...
Ces belles couleurs de rose et de feu dont s'habillent nos dames, le coton dont elles ouatent leurs jupes... le rouge dont elles relèvent leur blancheur... la main de malheureux Noirs a préparé tout cela pour elles. Femmes sensibles, vous pleurez aux tragédies, et ce qui sert à vos plaisirs est mouillé des pleurs et teint du sang des hommes.

Bernardin de Saint-Pierre (1737-1814)

LA HONTE

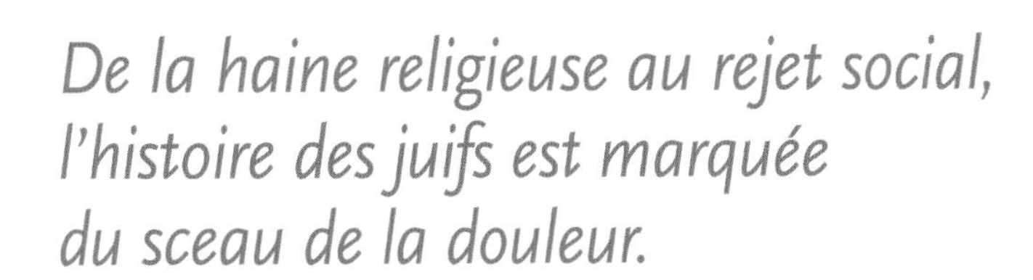

De la haine religieuse au rejet social, l'histoire des juifs est marquée du sceau de la douleur.

Celle-ci culmine au cœur du 20e siècle avec la décision des nazis de les éliminer de la planète.

DE L'ANTISÉMITISME

Par Jean-Marie Henry

Il y a deux mille ans, Jésus-Christ est crucifié. En attribuant abusivement la responsabilité de cette mort aux juifs, l'Église catholique va les exposer aux persécutions. En 1993, le catholicisme revient enfin sur cette accusation qui fut trop longtemps utilisée, parmi d'autres arguments, à l'encontre du peuple juif.

Un peuple **persécuté**

Au Moyen Âge, tout est fait pour exclure les juifs de la société. Il leur faut s'installer dans des zones d'habitation obligatoires, les ghettos (ce mot provient d'une île nommée Ghetto où étaient assignés à résidence les juifs de Venise). On leur interdit de posséder des terres ou de devenir artisans ; ils doivent alors, pour vivre, occuper des fonctions jugées dégradantes par les chrétiens : le commerce et le secteur bancaire. C'est ainsi que naît l'image du juif usurier qui va nourrir l'antisémitisme tout au long de l'histoire. Durant des siècles, les juifs d'Europe vont se trouver confrontés à l'arbitraire et à l'injustice. Que les dettes contractées auprès des prêteurs juifs deviennent trop importantes et ceux-ci sont massacrés ! Que les premiers croisés peinent à financer leurs expéditions et les biens des familles juives qu'ils rencontrent sur la route de Jérusalem sont inévitablement pillés. Que la peste noire décime la population et ce sont les juifs qui sont accusés d'empoisonner les puits ; servant de boucs émissaires, ils sont brûlés vifs par milliers.

En France, il faut attendre 1775 pour que les juifs obtiennent le droit de propriété. C'est seulement en 1791, grâce à la Révolution française, que des juifs deviennent, pour la première fois au monde, des citoyens à part entière. Ceux de Roumanie n'obtiennent, eux, leur émancipation qu'en 1919 !

L'honneur d'un capitaine

À la fin du 19e siècle, la France est animée d'un fort esprit de revanche après sa défaite contre l'Allemagne qui occupe l'Alsace et la Lorraine. La haine de l'étranger atteint son paroxysme. En 1894, un capitaine de l'armée, Alfred Dreyfus, va cristalliser sur sa personne tous les excès nationalistes. Il est accusé d'espionnage au profit de l'Allemagne. Dreyfus est juif, alsacien de surcroît et travaille à l'état-major : c'est un coupable idéal ! Sans preuve, à partir de faux témoignages, l'officier est condamné au bagne à perpétuité. « À mort les juifs ! » hurle la foule rassemblée devant l'École militaire où le capitaine est dégradé, avant son départ pour le bagne de Cayenne. Ses galons arrachés, son sabre brisé, Alfred Dreyfus, est la victime expiatoire d'un antisémitisme qui déchire la France.

Dreyfus dégradé, épée brisée et galons arrachés

L'affaire Dreyfus divise en effet les Français en deux camps : partisans et adversaires du capitaine. Des officiers se battent en duel. Des membres d'une même famille se fâchent à jamais. Dans le journal *L'Aurore*, l'écrivain Émile Zola dénonce par un article désormais célèbre, intitulé *J'accuse*, les mensonges du gouvernement qui a envoyé un honnête homme au bagne. Onze ans après sa condamnation, Alfred Dreyfus est réhabilité et décoré de la Légion d'honneur. En 1995, l'armée française dénoncera officiellement une conspiration de l'état-major contre un innocent.

La Nuit de cristal

En Allemagne, lorsqu'Adolf Hitler devient chancelier du Reich en 1933, la haine profonde qu'il entretient vis-à-vis des juifs anime chacun

TANT QU'IL Y AURA DES ÉTOILES DANS LE CIEL,
JE N'OUBLIERAI JAMAIS...

Roger-Viollet

Familles juives du ghetto de Varsovie arrêtées par les nazis

L'insurrection du ghetto de Varsovie

À Varsovie, les juifs polonais vivent enfermés dans un ghetto. Ils sont même contraints de construire et de financer le mur qui les emprisonne.

Les nazis décident de les liquider en envoyant, chaque jour, près de 7 000 d'entre eux dans les camps de la mort. La résistance s'organise dans le ghetto. En 1942, après trois semaines de combat, elle est écrasée par les nazis.

de ses discours. Il les accuse notamment d'avoir tiré profit de la Première Guerre mondiale et d'être responsables de la défaite de 1918. Il les désigne aussi comme des révolutionnaires, inspirés par la Révolution russe. Une politique antisémite officielle est instituée : les juifs perdent leur nationalité allemande, leur emploi dans la fonction publique et ils sont progressivement exclus des professions libérales, du journalisme, des études universitaires. Les mariages entre juifs et non-juifs sont interdits ou annulés. L'antisémitisme qui a toujours existé en Allemagne prend, avec l'arrivée du dictateur au pouvoir, des proportions démesurées.

Le 7 novembre 1938, un conseiller de l'ambassade allemande est assassiné à Paris par un jeune juif polonais qui veut alerter l'opinion sur le sort réservé aux juifs d'Allemagne. En représailles, Hitler ordonne un gigantesque pogrom (nom donné aux massacres de juifs dans la Russie tsariste)... Dans la nuit du 9 au 10 novembre, les nazis saccagent plus de deux mille synagogues et plus de sept mille commerces (les vitrines brisées donnent le nom de « Nuit de cristal » à cet événement d'une violence terrible). Devant l'absence

Gamma

La mort organisée, ici au camp de Dachau

de réactions des nations démocratiques et leur refus d'accueillir les juifs qui veulent fuir, les nazis savent qu'ils peuvent aller encore plus loin.

La Shoah

Sur ordre des autorités allemandes au service du parti nazi, les juifs sont arrêtés. Pour éviter toute révolte, tout mouvement de panique, on leur demande de faire leurs bagages afin d'entretenir l'illusion d'un déplacement temporaire. Puis, c'est entassés dans les wagons de marchandises qu'hommes, femmes et enfants sont envoyés séparément vers les camps. Le voyage au bout de l'horreur dure souvent plusieurs jours et est soumis aux aléas du climat. Les conditions de vie sont épouvantables, la promiscuité totale. L'eau et la nourriture manquent. À l'arrivée, les morts se comptent par dizaines. Dans les camps de concentration, le quotidien est fait de travail harassant, d'humiliations, de châtiments, de faim, d'absence totale d'hygiène, de baraques surpeuplées où le froid tue. On y meurt d'épuisement ou de maladie. On y est exécuté sommairement. À partir de 1942, la liquidation du peuple juif est programmée. Hitler la nomme

Les enfants d'Izieu

À Izieu (dans l'Ain), Miron et Sabine Zlatin ont fondé un havre de paix pour protéger les enfants orphelins.

Le 6 avril 1944, la Gestapo (police secrète nazie) envahit les lieux après dénonciation.

Les 44 enfants et les 7 adultes qui vivaient là sont arrêtés et déportés. Trois seulement survivront.

Gamma

M. Piotr / Gamma

Auschwitz : l'arrivée d'un convoi.
Trois générations après, l'hommage des enfants.

L'horreur à la une

Dans les journaux aux ordres des autorités allemandes et du gouvernement de Vichy, l'antisémitisme fait rage. Dans *Je suis partout*, un concours propose comme premier prix une paire de bas en soie naturelle.

La question : comment se débarrasser des juifs ? La gagnante propose de les stériliser. Pendant ce temps, dans les camps, on coupe les cheveux des femmes juives pour en faire des chaussons de feutre.

« la solution finale ». Dès leur arrivée, les déportés sont directement conduits dans les chambres à gaz pour y être asphyxiés.

En l'espace de trois ans, ce sont près de six millions de juifs qui sont exterminés (les trois cinquièmes de la population des juifs européens). Dans le seul camp d'Auschwitz, un million d'entre eux trouvent la mort. Cette abomination qu'est la Shoah (la *catastrophe* en hébreu) est organisée méticuleusement par les nazis : tous ceux qui sont assignés à cette tâche, du petit employé de bureau au plus grand dignitaire du Régime, chacun fait preuve d'un zèle total. Peut-être eût-il fallu que quelques-uns osent la désobéissance pour que s'enraye l'épouvantable machine à exterminer ?

La bête n'est pas morte

En France, le gouvernement de Vichy, sous influence allemande, institue dès 1940 des lois anti-juives : port obligatoire de l'étoile jaune, exclusion de l'administration et de nombreux emplois, confiscation des biens, interdiction de sortir la nuit, de posséder une radio, un téléphone, de changer de résidence...
L'État français de fait se rend totalement complice du pouvoir hitlérien. Ainsi, les 16 et 17 juillet 1942, la police française arrête plus de 12 000 juifs, dont 4 115 enfants, lors de la rafle du Vél' d'Hiv.

Roger-Viollet

1945, le procès de Nuremberg.
Au premier rang, Goering, Hess, Ribbentrop, Keitel.
Les criminels doivent rendre des comptes.

Ce sont près de 75 000 juifs qui sont déportés de France vers les camps de la mort durant ce terrible été. Certains Français ont fait le choix de « collaborer » individuellement, en dénonçant des familles juives par exemple. D'autres, au contraire, ont pris le risque de tout faire pour sauver des juifs, en cachant des enfants comme l'on fait de nombreuses familles protestantes du Chambon-sur-Lignon. Ou en les prévenant avant une rafle, comme ces policiers de Nancy. Les juifs aussi se mobilisent, créant ou rejoignant des réseaux de résistants dès 1941.

Le souvenir de tant d'horreurs et de souffrances sans nom n'a hélas pas suffi à bannir l'antisémitisme du cœur des hommes. En URSS par exemple, de nombreux juifs ont souffert de graves discriminations et dans la Russie d'aujourd'hui, la haine imbécile perdure. En France, plus de soixante ans après le génocide, des nostalgiques profanent parfois des tombes juives ou incendient des synagogues. Des hommes politiques d'extrême-droite imprègnent leurs discours du même racisme qu'Adolf Hitler. Des gens qui se prétendent historiens (les révisionnistes ou négationnistes) osent même revoir l'histoire à leur façon et mettre en doute l'existence des chambres à gaz ! La honte n'a pas tué la bête ! Pour la combattre, il nous faut, encore et toujours, porter « la sinistre nouvelle de ce que l'homme à Auschwitz a pu faire d'un autre homme » (Primo Levi).

Les couleurs de la honte

Bien avant l'étoile jaune
imposée aux juifs,
le roi de France
Saint Louis, au 13e siècle,
avait contraint les juifs
au port de la rouelle,
un médaillon
de tissu jaune.

Dans les camps nazis,
les autres déportés
étaient distingués
par des couleurs :
brun pour les Tsiganes,
rose pour les homosexuels,
violet pour les témoins de Jéhovah,
vert pour les condamnés
de droit commun,
noir pour les asociaux,
rouge pour les résistants
et les prisonniers politiques.

Ma chère Anne Frank,

Je devais avoir treize ans quand j'ai emprunté le livre que tu as écrit à la bibliothèque municipale de Belleville dans le New Jersey (USA). J'ai fixé la couverture et j'ai eu l'impression de me regarder dans un miroir, une brunette souriante et optimiste de mon âge était à la une, toi. J'ai lu la quatrième de couverture : « Anne Frank est morte au camp de Bergen-Belsen en mars 1945 ».

Moi, je suis née en mars 1945. J'avais l'impression d'avoir trouvé une sorte de jumelle. J'étais étonnée par la réaction de mes parents qui n'avaient jusque-là jamais questionné mes choix de lecture : fallait-il lire tes pages ou attendre une plus grande maturité ? Cela ajouta bien sûr à mon désir. Livre périlleux ? dangereux ? Faut-il se protéger de la vérité et de l'essentiel ?

Ton Journal m'a accompagnée, m'a hantée toute ma vie. Il est toujours sur mon chevet. Je viens de lire la nouvelle version élargie des parties jusqu'ici censurées par ton père (un bon tiers en plus) et à chaque lecture, je suis éblouie par ton talent d'observation et d'écriture. Chaque fois, je suis là dans l'annexe où je partage une minuscule « chambre » avec l'horrible monsieur Düssel, la théâtrale madame Van Daan, son pauvre mari, Peter Van Daan et toute ta famille. Dans cet espace réduit, je revis l'adolescence, la tienne, la mienne, le conflit avec ta mère, la rivalité entre sœurs, la quête de l'amour, les rêves pour l'avenir... dont j'ai su dès les premières lignes qu'il ne serait pour toi, ma chère Anne, qu'un douloureux avenir de papier.

Grâce à toi, j'ai commencé mon propre journal intime. J'y ai écrit tous les jours de ma vie. J'y parle souvent de toi. Je parle partout d'Anne Frank. C'est peut-être grâce à toi que je suis devenue écrivain, moi, qui l'ai échappé belle, née aux États-Unis après la guerre, juive comme toi. Je n'ai jamais respiré un moment sans toi, sans chacun d'eux qui sont morts comme j'aurais pu l'être au cœur de cette effroyable Deuxième Guerre mondiale.

Égoïste, j'avoue avoir eu du chagrin parce que ton journal se terminait. Mon plaisir de lectrice s'achevait trop tôt avec cette fin abrupte : « ... je continue à chercher le moyen de devenir celle que j'aimerais tant être, celle que je serais capable d'être si... il n'y avait pas d'autres gens dans le monde ». Ces gens qui t'ont empêchée de vivre : les nazis.

Toute ma vie, je me suis demandée comment ce fut possible ? Des gens comme toi, comme moi, capables de détruire mon amie Anne Frank ? Il m'arrive d'accuser Dieu d'avoir laissé faire, Dieu et l'église et le monde entier.
Et je me demande tout le temps : qu'aurais-je fait, moi, contre ces monstres racistes ?
Et je me demande encore : qui va garder la mémoire de ces événements inqualifiables ?
Les survivants vieillissent et disparaissent.
Qui ne va jamais cesser de dire ?
Les livres, sûrement.

Le tien, reproduit en cinquante langues à plus de 20 millions d'exemplaires.
Et tous les autres.
En voici dix, cités ici parce qu'ils méritent une étagère spéciale dans la bibliothèque de notre mémoire, tout à côté de ton Journal, Anne Frank.

Anne Frank

- *Une île, rue des oiseaux,* Uri Orlev (Stock / Mon bel oranger)
- *L'homme de l'autre côté,* Uri Orlev (Flammarion)
- *Le ring de la mort,* Jean-Jacques Grief (École des loisirs)
- *Kama,* Jean-Jacques Grief (École des loisirs)
- *Une petite flamme dans la nuit,* François David (Bayard)
- *La steppe infinie,* Deborah Hautzig (École des loisirs)
- *Sur la tête de la chèvre,* Aranka Siegal (Gallimard)
- *Voyage à Pitchpoï,* Jean-Claude Moscovici (École des loisirs)
- *L'enfant caché,* Berthe Burko (Seuil)
- *La promesse,* Yaël Hassan (Flammarion)

Tous ces livres sont des transfusions pour la mémoire. En tant qu'écrivain, en tant que juive, en tant qu'être humain je suis reconnaissante à tous ces auteurs qui se sont plongés dans l'encre la plus noire et empoisonnée de l'histoire pour nous donner de belles pages de douleur et d'espoir. Ils nous montrent que l'esprit humain résiste et renaît, Anne.

L'oubli est l'adrénaline du racisme et les livres sont des vitamines contre l'oubli. Et si les nazis les brûlaient quand ils les dérangeaient, c'est que les livres sont aussi des pavés de liberté.

Merci, chère Anne. Je voudrais pouvoir t'embrasser.

Merci.

Susie Morgenstern

Que sait-on des Tsiganes,

que l'on appelle au hasard Gitans, Manouches ou Bohémiens ?

Peu de choses en général.

TSIGANES ET FILS DU VENT

Par Bertrand Solet

On connaît les caravanes installées dans les coins les plus moches des banlieues ou de la campagne. Il y a les antennes de télé dressées sur les voitures, des édredons prennent l'air, du linge sèche. Et les gens ? On les a croisés un jour, les hommes sont musiciens ou réparent des voitures, les femmes portent une longue robe et parlent haut ; on regarde avec curiosité les enfants qui viennent parfois à l'école, on n'est pas toujours sympas avec eux…
Et à part ça ? Certains pensent qu'ils ont de la chance de voyager tout le temps, d'autres disent qu'il faut s'en méfier : la preuve, on a lu, une fois, dans le journal, que : « Les voleurs étaient des Tsiganes ». Mais au-delà de ces images et de ces idées toutes faites, il y a une vérité plus riche, l'histoire et la vraie vie de gens que l'on connaît mal.

Merveille ! Des étrangers !

Voilà environ mille ans, des tribus ont commencé à se mettre en marche à partir de l'Inde. À cause des guerres peut-être, ou des famines. Beaucoup d'hommes étaient forgerons et musiciens.

Comment s'appellent-ils ?

On les appelle *Tsiganes*, par suite d'une erreur. Voilà bien longtemps, ils ont été confondus en Grèce avec les membres d'une secte errante : les Astiganos.

Leur nom véritable est *Rom*, un nom dérivé du mot indien *dom*, qui signifie *résonner*, comme résonne un tambour (n'oublions pas que les Tsiganes sont issus de tribus de musiciens). Certains se nomment : *Manouche*, un mot indien lui aussi, qui veut dire *homme*, ou *Sinti* de *Sind*, un fleuve de l'Inde.

Quant à *Gitan*, c'est un diminutif d'*Egyptan* (Égyptien), parce qu'on a cru jadis qu'ils venaient d'Égypte.

Le mot *Bohémien* nous vient des premiers groupes tsiganes arrivés en France. Ils possédaient des sauf-conduits signés par le roi de Bohème.

Certains ont traversé l'Asie et l'Europe, et des groupes sont arrivés en France au temps de Jeanne d'Arc, au milieu du 13e siècle. Ils disaient être en pèlerinage, ils furent d'abord bien accueillis. Par exemple, sur le registre de la ville d'Arras, en date du 10 octobre 1421, il est noté : « Merveille ! Venue d'étrangers du pays d'Égypte ». Car on les croyait Égyptiens et eux-mêmes ne savaient plus trop d'où ils venaient après ces quelques centaines d'années de voyage.

« Merveille ! Des étrangers ! ». Cette phrase peut faire rêver aujourd'hui, mais déjà à l'époque, les rapports avec les populations se gâtèrent vite : ces étrangers faisaient peur, bruns de peau, parlant une autre langue, vivant en plein air... Leurs femmes insistaient trop pour dire la bonne aventure, et ils chapardaient, considérant comme tous les peuples nomades que tout appartient à tout le monde, à l'exemple de l'eau d'un puits dans le désert. Allez expliquer la chose à une fermière dont les poules ont disparu ! Le phénomène de rejet augmenta encore quand des vagabonds et des bandits de grand chemin se mêlèrent à leurs groupes errants.

Peu à peu, parce qu'ils étaient différents, en de nombreux endroits d'Europe, on interdit aux Tsiganes de pratiquer leurs métiers traditionnels, on les accusa d'être des sorciers, des espions, de voler des enfants et même de manger de la chair humaine. Dans des pays, on voulut les retenir de force, dans beaucoup d'autres, on leur fit la chasse, on les transforma en esclaves... Bien entendu, cette hostilité ne fut pas générale, et l'on possède bien des exemples de vie paisible et d'amitié partagée entre Tsiganes et non-Tsiganes (les gadgés).

Aux portes des villes, parfois un terrain d'accueil
Stephan Zaubitzer / Tendance Floue

Le mépris et la haine atteignirent leur sommet durant la Deuxième Guerre mondiale. Comme ils le firent pour les juifs, les nazis allemands prirent à l'encontre des Tsiganes des « mesures d'hygiène sociale » : stérilisations, massacres (en Ukraine, en Serbie par exemple), déportations, tortures... Puis les considérant comme « criminels et parasites », ils marquèrent au fer rouge d'un Z l'avant-bras de 500 000 Tsiganes d'Europe, dont 15 000 à 20 000 Tsiganes français, qui trouvèrent la mort dans les camps d'extermination.

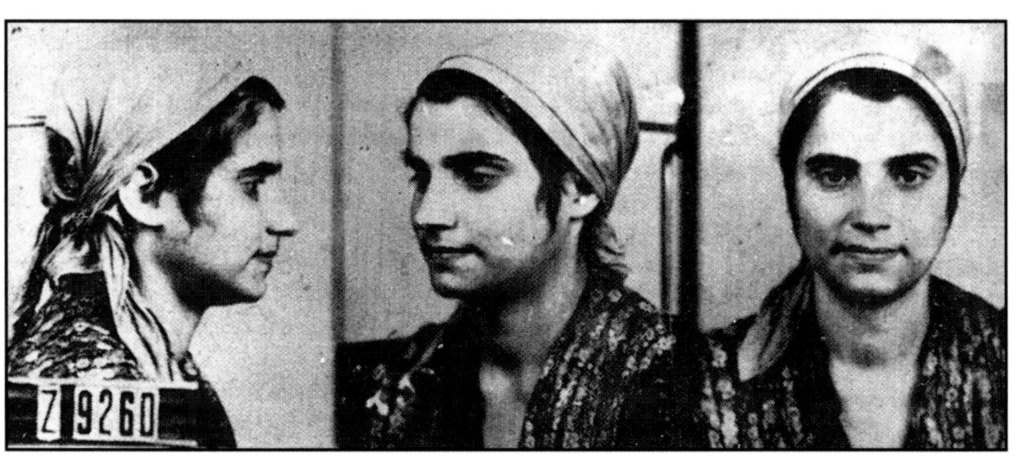

Femme Tsigane déportée à Auschwitz

Jean-Loup Charmet

Une manière originale de vivre
G. Berengot Gardin / RÉA

Être Tsigane aujourd'hui

La cuisine ?
Et bien oui ! les Tsiganes (les Manouches en particulier) apprécient la chair du hérisson rôti comme la soupe d'orties. Ce sont là des nourritures de grands chemins. Mais ils aiment aussi les pizzas et les hamburgers !

Il est difficile de savoir combien de Tsiganes vivent de par le monde. En Europe, ils seraient environ 10 millions, dont la majeure partie dans les pays membres de l'Union européenne, surtout depuis l'adhésion de la Roumanie (plus de 2 millions) et de la Bulgarie (700 000). Les Tsiganes représentent la plus importante minorité d'Europe. En France, ils sont plus de 300 000, sans parler de ceux qui vivent comme les autres Français, sans différence aucune. Parmi les Tsiganes recensés, un tiers sont devenus sédentaires, parfois pour cause de pauvreté. Les autres, ceux qui font encore partie de la grande famille des gens du voyage, partent souvent du printemps à l'automne, par exemple pour participer aux travaux agricoles saisonniers : récoltes, vendanges... Le voyage est autant une habitude et une nécessité pour leurs activités qu'une façon de voir la vie. Un Tsigane m'a dit : « En construisant les murs, on détruit le vent. Et moi, j'aime le vent ».

Les Tsiganes pratiquent bien des métiers : commerçants, ferrailleurs, musiciens, gens du cirque... Et il n'y a pas aujourd'hui

Christian Vioujard / Gamma

La mort ?

Les Tsiganes n'envoient jamais leurs aînés en maison de retraite. Ils les gardent avec eux jusqu'à la mort.

Un vrai Tsigane doit mourir en plein air, la tête tournée vers le ciel.

La communauté entretient des liens forts.

Ici, autour de la Vierge noire aux Saintes-Maries-de-la-Mer. La religion est l'une des manières de se retrouver.

Là, au sein de la famille

Gilles Coulon / Tendance Floue

L'école ?

Certains parents tsiganes ont peur de l'école, où l'on ne parle pas de l'histoire des Tsiganes, où les enfants peuvent trouver l'envie de les quitter.

D'autres, au contraire, voudraient que leurs enfants apprennent davantage. Pas facile lorsqu'on voyage ; le temps de s'habituer à une école, et l'on repart déjà.

en France plus de gens malhonnêtes chez les Tsiganes que dans l'ensemble de la population. Tant pis pour la légende !

La télé a remplacé les feux de camp autour desquels ils apprenaient l'histoire de leur peuple, dans leur langue, le romani, dont plusieurs dialectes existent, comme le « vlax » parlé en Roumanie, ou le « calo » des Gitans d'Espagne. Mais, télé ou pas, bien des Tsiganes ont conservé leurs traditions. En particulier l'habitude très forte du voyage. Pourtant, il manque partout, hélas, pour les accueillir, d'endroits appropriés possédant l'eau, la lumière, les sanitaires... Une loi existe bien depuis 2000, complétée en 2006, qui rend obligatoire la création d'aires d'accueil dans les villes de plus de 5 000 habitants ; mais cette « loi Besson » est fort mal appliquée et bon nombre de gens du voyage n'ont d'autre solution que de camper illégalement et d'être donc sous la menace d'expulsions ou de lourdes peines.

Même si l'ONU a accordé, en 1981, un statut consultatif au Comité international Rom, il demeure une revendication fondamentale pour les Tsiganes du monde : être pleinement respectés dans leur culture, leurs différences, leurs choix de vie étonnants pour qui n'est pas né du vent.

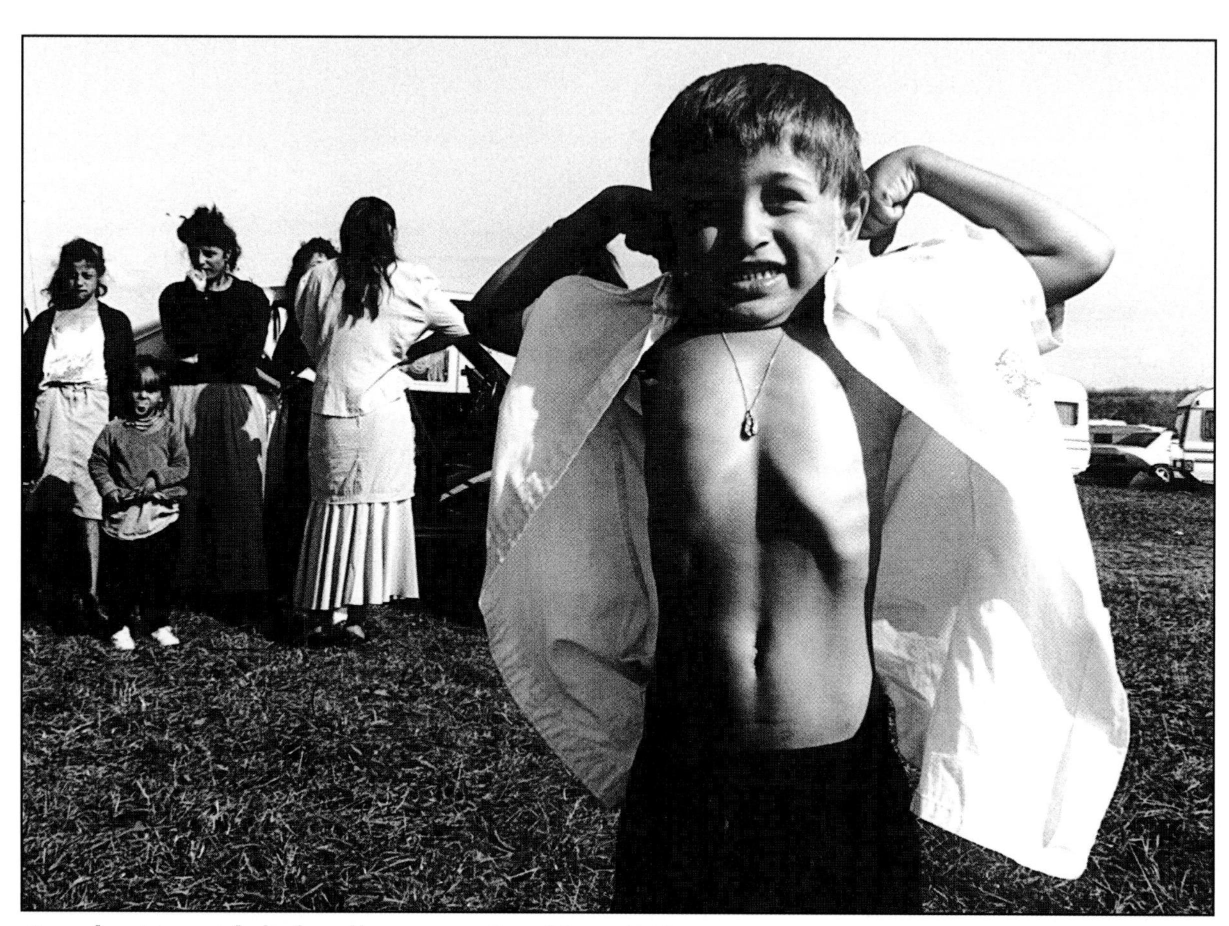

Grande réunion de la famille gitane à Damblain (88)
Stephan Zaubitzer / Tendance Floue

Gitans

Quand t'es parti, Gitan
tu as laissé seulement
une voiture en morceaux.
T'as pris tes chaises de bambou
ta guitare de rien du tout
t'as mis le vent sous ta peau.

T'as caressé les oiseaux
T'as caressé les oiseaux.

T'as mis des pierres sur le feu.
Les femmes aux longs cheveux
ont tout lavé dans les seaux,
séché le linge sur les buissons,
rentré les gosses dans les camions,
sur les paniers de roseaux.

Et caressé les oiseaux
Et caressé les oiseaux.

Où allais-tu ?

À part les flaques de boue
et quelques traces de roues
tu n'as rien voulu laisser.
T'as mis ta fierté gitane
aux rideaux des caravanes
comme des drapeaux pliés.

T'as caressé les oiseaux
T'as caressé les oiseaux.

Où allais-tu ?

« J'ai peur des lumières des villes
des grandes maisons immobiles
des jardins bâtis tout autour.
J'ai peur qu'on emmène d'office
au bout du fusil des milices
les enfants de notre amour.
Ils traitent nos filles de voleuses
du fond de leurs maisons peureuses
pleines de chiens de combat.
Ils attachent leur volaille
ils surveillent leur ferraille.
on ne se ressemble pas. »

Y'a des panneaux depuis :
« Emplacement interdit »
Comme s'il y avait eu la peste.
T'as plus qu'à chercher ailleurs
des gens qui auront moins peur
en espérant qu'il en reste.

Et caresser les oiseaux
et caresser les oiseaux.

Francis Cabrel

Aujourd'hui, on peut être noir et maire d'une grande ville ou bien être descendant d'esclaves et être adulé par tous les Américains pour ses médailles olympiques...

Pourtant, les États-Unis n'ont pas fini de régler les comptes avec une part de leur histoire lourde en souffrances : celle du peuple noir.

MADE IN USA

Par Jean-Marie Henry

Nous sommes en avril 1619, dans le port de Jamestown, dans l'État de Virginie. D'une première frégate venue d'Afrique, vingt Noirs sont débarqués pour travailler sur des plantations. Pendant deux siècles et demi, les colons blancs installés sur le continent américain vont ainsi organiser la *Slave Trade*, la traite des Noirs : des millions d'Africains seront déplacés par la force vers la côte Est de l'Amérique du Nord. *« Tout homme libre aura pouvoir absolu et autorité sur ses esclaves noirs... »* affirme à l'époque la constitution de l'État de Caroline. La liberté des Blancs implique donc la soumission totale des hommes noirs. Terrible paradoxe qui fait des esclaves des êtres sans voix.

L'argent plus fort que la démocratie

En 1776, quand, influencés par l'idée de démocratie, les colons américains se libèrent de la domination anglaise pour créer la

Esclaves récoltant le coton dans l'État de Géorgie
Jean-Loup Charmet

Quand la musique est bonne
Dans les plantations de coton, les esclaves se souviennent de leurs chants d'Afrique et en font une complainte de détresse et de désespoir : le blues. Quand ils rejoignent les grandes villes, le blues donne naissance à une musique instrumentale, le jazz, et à des chants de prière, les gospels. C'est de l'influence de ces musiques sur les musiciens blancs que naît le rock, souvent porteur de colères. Au début des années 80, la jeunesse noire des ghettos de New York invente une musique qui, comme le rock, va devenir universelle : le rap.

République américaine, on peut logiquement s'attendre à ce que cesse cette exploitation sans pitié de l'homme noir par l'homme blanc. La Déclaration d'indépendance n'affirme-t-elle pas l'égalité de tous les hommes ?

Dans les États du Nord, où la main-d'œuvre nécessaire à la culture des céréales est suffisante et où les idées abolitionnistes qui visent à interdire l'esclavage sont largement répandues, les Noirs retrouvent effectivement leur liberté. On dit qu'ils sont affranchis. Mais dans le Sud, où l'exportation du coton augmente sans cesse, la traite des esclaves prend un essor considérable. La grande autonomie accordée à chaque État par le système fédéral américain leur permet en effet d'appliquer les principes de la Constitution à leur guise.

À la démocratie et au respect de l'être humain, les gros propriétaires du Sud préfèrent les intérêts économiques et le profit. C'est notamment cette opposition fondamentale à propos de l'esclavage qui provoque, en 1860, la guerre de Sécession. Elle oppose les États du Sud (les sudistes) à ceux du Nord (les nordistes ou *Yankees*). Remportée par ces derniers, elle met officiellement fin, en 1865, à l'esclavage qui accordait à l'homme blanc tous les droits — y compris celui de donner la mort — sur un être qui n'en avait aucun.

Une bien étrange liberté : la ségrégation raciale

Sans argent pour acheter des terres, ne sachant ni lire ni écrire, vivant dans la misère, les anciens esclaves des États du Sud étaient conditionnés à la soumission. Ils se retrouvent à la merci des planteurs blancs. Que vaut alors leur liberté ? La ségrégation raciale interdit tout contact entre les deux couleurs. Noirs et Blancs sont séparés dans les lieux publics, les transports, les quartiers, les écoles. Jusque dans la mort quelquefois, puisque certains États osent interdire l'enterrement des défunts des deux couleurs dans un même cimetière...

Lorsqu'à la fin du 19e siècle, les Noirs abandonnent les travaux agricoles pour rejoindre les usines, ils doivent encore travailler dans des ateliers distincts de ceux des Blancs. Utiliser des réfectoires, des vestiaires, des guichets de paye, des robinets d'eau potable différents. La plupart des syndicats les refusent et les ouvriers noirs qui se retrouvent alors sans protection doivent accepter, à travail égal, des salaires inférieurs à ceux des Blancs. Cette ségrégation perpétue l'état de soumission des hommes noirs instauré par l'esclavage. Ainsi, des milliers de Noirs, accusés de crimes pour lesquels ils sont le plus souvent innocents, sont victimes de lynchage et sont assassinés sans jugement. Des émeutes anti-Noirs ont lieu dans de nombreuses villes. Des Blancs s'organisent même à l'intérieur

Harlem, ghetto noir de New York

Harlem fut le premier ghetto noir de New York. Fuyant le racisme, des Noirs du Sud s'installèrent dans ce quartier en décrépitude au début du 20e siècle. On y vit aujourd'hui entre chômage et pauvreté, drogue et insécurité. Le revenu moyen des familles y est près de 40 % inférieur à la moyenne new-yorkaise. Et, au même âge, le retard scolaire des enfants noirs du ghetto par rapport aux enfants blancs est de trois classes.

Racisme = lâcheté

En 1865, des Blancs créent une association secrète destinée à terroriser les Noirs qui se lèvent pour exiger leurs droits.

Cachant leurs visages à l'aide de cagoules blanches pointues et brandissant des torches enflammées, les membres du Ku Klux Klan (KKK) agissent de nuit afin de perpétrer leurs crimes en toute impunité. Le racisme est ainsi fait : il s'appuie sur la lâcheté. En 1918, beaucoup de soldats noirs de retour de la Première Guerre mondiale seront lynchés ou brûlés vifs par le KKK.

Actuellement, même s'il est désavoué par la grande majorité des américains, le Ku Klux Klan tente toujours d'imposer par la violence ses idées racistes.

de groupes terroristes, comme le Ku Klux Klan, qui tentent de dissuader les Noirs par la violence de devenir leurs égaux.

« We shall overcome »

Les Noirs pourtant relèvent la tête. Pour la seule période de l'esclavage, les archives américaines mentionnent plus de deux cents révoltes. L'une d'elles verra même un Blanc, John Brown, en prendre la tête et sacrifier sa vie pour sauver ses frères noirs. Mais cette révolte échouera comme beaucoup d'autres. Par manque de moyens et à cause de trop d'isolement. C'est au début du 20e siècle que des Noirs décident de s'organiser et de devenir des citoyens américains à part entière. En 1909 est créée la NAACP (Association nationale pour le progrès des gens de couleur). Elle demande l'abolition de la ségrégation, l'instruction égale pour tous, le droit de vote.

En 1955, un pasteur noir, Martin Luther King, entraîne derrière lui des millions de Noirs dans la lutte pour la déségrégation (c'est-à-dire la fin de la ségrégation raciale). Il parvient à convaincre ses frères de couleur d'adopter une attitude non violente face aux agressions racistes qu'ils subissent quotidiennement : du boycott de compagnies de bus qui réservent les places assises aux Blancs aux grandes marches pendant lesquelles les manifestants chantent *We shall overcome* (*Nous vaincrons*), leur hymne de libération. L'impact de ces événements est tel qu'une loi sur les Droits civiques institue, en 1964, l'égalité de tous les citoyens quelle que soit la couleur de leur peau. La même année, Martin Luther King reçoit le prix Nobel de la paix.

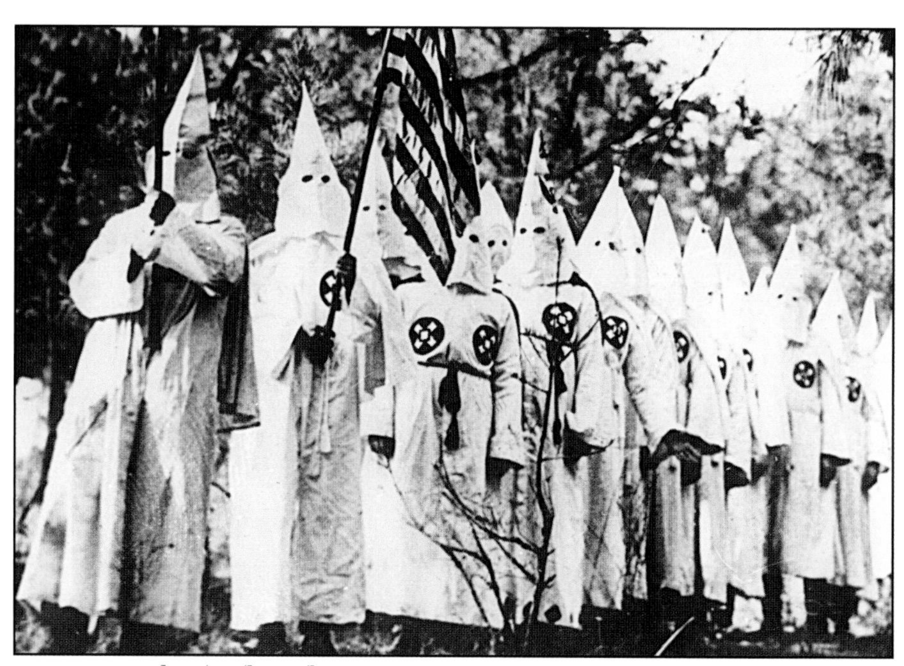

Cérémonie du Ku Klux Klan
Roger-Viollet

AFP

Soutien aux *Black Panthers*, en 1969 à San Francisco

À droite : Martin Luther King

Hélas, en 1968, l'homme qui rêvait de voir Blancs et Noirs associés totalement dans la construction de l'Amérique est assassiné.

Pour beaucoup de Noirs, l'assassinat de Martin Luther King signifie l'échec d'une attitude non violente vis-à-vis d'une politique raciste. Certains n'ont d'ailleurs pas attendu sa mort pour créer des organisations qui répondent à la violence par la violence, comme par exemple celle des Black Panthers, les *Panthères noires* dont le leader Malcolm X sera lui aussi assassiné. À la fin des années 60, influencés par ces idées, des centaines de milliers d'adolescents noirs descendent dans les rues des grandes villes américaines pour y provoquer des émeutes. Ils y expriment leur rage contre une société qui les exclut. Les morts se comptent par dizaines et l'Amérique est sous le choc.

Et si on rêvait l'Amérique ?

La violence de ces émeutes va amener le gouvernement américain à mettre en place de nombreux programmes contre le racisme, le chômage et la pauvreté. Et ceux-ci parviennent quelquefois à faire avancer les choses : des Noirs deviennent fonctionnaires, policiers, professeurs d'Université. Certains occupent des places élevées dans l'armée, dans de grandes entreprises. D'autres deviennent encore journalistes ou avocats célèbres. Il s'agit donc d'un réel progrès

Black is beautiful

Beaucoup de Noirs américains revendiquent maintenant leur identité et adoptent le slogan *Black is beautiful* (*Fiers d'être noirs*).

Getty Hulton / Gamma

À la télévision, au cinéma, dans la publicité, leur présence est de plus en plus importante. Ils influencent aussi l'univers de la mode où ils sont très appréciés comme mannequins et les exploits des sportifs noirs américains sont reconnus et admirés dans le monde entier.

En politique aussi, les choses commencent à changer : en 1963, il n'y avait que cinq députés noirs aux États-Unis ; ils sont maintenant plus de quarante. À quand un Noir président des États-Unis ?

même s'il subsiste encore aujourd'hui trop d'inégalités entre Blancs et Noirs. Sait-on par exemple, qu'un Noir sur trois vit en dessous du seuil de pauvreté contre un sur dix chez les Blancs ? Ou encore que la mortalité infantile et l'usage de la drogue sont beaucoup plus élevés chez les Noirs ? Sait-on aussi que, si près de 7 000 hommes noirs sont morts pour l'Amérique lors de la guerre du Viêt Nam, il n'y en eut pas un seul à marcher sur la Lune, parmi les douze astronautes américains qui eurent le privilège de participer à cette aventure.

« *J'ai fait un rêve :* un jour, mes quatre enfants vivront dans cette nation sans être jugés selon la couleur de leur peau mais plutôt d'après les qualités de leur caractère », disait Martin Luther King.

Comme le pasteur King, il faut continuer à rêver d'une Amérique multicolore et fraternelle et espérer que les 38 millions de Noirs américains trouvent enfin la place qui doit être la leur sur cette Terre. Là où, dans la souffrance, ils ont contribué à créer la force et la richesse de la première puissance mondiale.

Arc-en-ciel

Outre les Noirs, de nombreuses minorités vivent sur le sol américain : Hispaniques (originaires d'Amérique centrale), Indiens, Asiatiques... Comme les descendants de l'esclavage, ils sont aussi trop souvent victimes d'injustices. Ainsi, à New York, 90 % des accusés présentés à la justice sont des personnes de couleur... Et pour des délits identiques, les peines infligées sont presque toujours plus importantes pour les non-Blancs. La Coalition Arc-en-ciel (Rainbow Coalition), menée par Jesse Jackson, rassemble toutes les minorités ethniques des USA et lutte pour une Amérique plus juste.

Réservé aux Blancs

Il y avait aussi un bazar où on trouvait
des objets de pacotille : comme
des boucles d'oreilles ou d'autres
babioles pour les femmes,
des ceinturons et des épingles à cravate
pour les hommes. Mais ils avaient
un grand comptoir qui faisait toute
la longueur du magasin
avec des places destinées aux Blancs
qui voulaient s'asseoir et manger.
Une longue corde marquait l'endroit
et on pouvait lire : « RÉSERVÉ AUX
BLANCS ». En vérité, on ne comprenait
pas pourquoi ils avaient mis ça là, car,
de toute façon, aucun Noir n'aurait
essayé de s'asseoir sur ces tabourets.
Mais quand il faisait chaud dehors,
je marchais lentement
le long de la corde, à la recherche
d'un garçon d'à peu près mon âge.
Je le regardais en souriant et s'il me
rendait mon sourire, je lui murmurais :
« Achète-moi un soda. » Il se levait puis
s'approchait de la corde et je lui
donnais l'argent. En revenant,
il me donnait mon soda,
je le remerciais et sortais
du magasin aussi vite que possible
parce que quand on prenait
un soda à l'intérieur, on avait
des ennuis. Ma mère et les autres
mères pensaient que nous étions
timbrés, voyez-vous,
ils ne comprenaient pas qu'on veuille
lutter à notre façon contre le système.
Eux, ils restaient à leur place,
c'est pourquoi rien ne leur arrivait.
Mais pour nous, lutter c'était un défi.
En fait, on pouvait acheter du soda
partout, dans la rue il y avait des
charrettes à bras qui en vendaient.
Mais ce n'était pas la même chose
que ce soda que nous achetions là
où nous n'en avions pas
le droit. Le goût de ce soda n'était pas
différent d'un autre, ce qui nous
importait c'était l'endroit d'où il venait.

Extrait de *Léon,* Léon Walter Tillage,
traduit par Alice Ormières
et Nadia Butaud, L'école des Loisirs

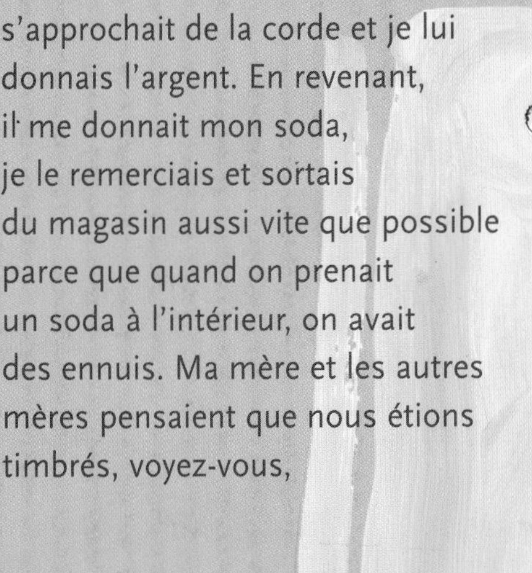

LE TEMPS

Un grand-père raconte :

« Quand j'avais une dizaine d'années, j'étudiais la France et ses départements mais aussi ce qu'on appelait " nos colonies ". C'est-à-dire tous les territoires dont la France avait fait la conquête et sur lesquels elle exerçait ses pouvoirs.

De grandes cartes du monde accrochées aux murs de la classe montraient, teintée en rose, l'étendue morcelée de l'Empire colonial français.

On rêvait sur les déserts infinis, les grands fauves en liberté ou le goût des fruits exotiques... »

BÉNI DES COLONIES

Par Bernard Épin

L'époque dont parle ce grand-père, c'est le cœur du 20e siècle. La France affirmait sa puissance en dirigeant politiquement, économiquement, militairement plus de 60 millions de personnes hors de l'Hexagone (alors qu'elle ne comptait que 40 millions d'habitants en métropole). Elle considérait ces populations comme « inférieures et non civilisées ». Le grand-père se souvient encore : « On nous exaltait la construction du chemin de fer en pleine brousse, les vaccinations salvatrices, les petits enfants noirs apprenant à lire en français... En même temps, des chansons, des publicités se moquaient du parler *petit nègre* ; la plupart des gens trouvaient normal d'utiliser des termes insultants comme *nègre* ou *bicot* ». Puis il conclut : « Moi, j'ai fini par comprendre que le colonialisme développe le racisme parce qu'il en a besoin pour se perpétuer. Rien de bon pour les hommes ! ».

La fièvre coloniale

La grande poussée coloniale avait commencé un siècle plus tôt, dans une course impitoyable au partage du monde menée par les grandes

La France tout autour du globe

En 1939, la France est la deuxième puissance coloniale du monde, après le Royaume-Uni. Sous diverses formes (colonies, protectorats, concessions), elle dirige 12 millions de km² :
En Afrique :
Algérie et Sahara, Tunisie, Maroc, Sénégal, Soudan, Guinée, Côte d'Ivoire, Dahomey (actuel Bénin), Haute-Volta (Burkina Faso), Niger, Mauritanie, Congo, Gabon, Oubangui-Chari (République centrafricaine), Tchad, Cameroun, Togo, Madagascar, Réunion, Comores et Somalie.
Au Proche-Orient :
Liban et Syrie.
En Asie :
l'Indochine, comprenant Cochinchine, Annam et Tonkin (trois régions du Viêtnam), Cambodge, Laos, ainsi que des enclaves en Chine et en Inde.
En Océanie :
Nouvelle-Calédonie, Tahiti, et divers archipels.
En Amérique :
Guadeloupe, Martinique, Guyane et divers archipels.

Jean-Loup Charmet

1860, une école en Algérie

puissances européennes : France, Grande-Bretagne, Allemagne, Pays-Bas, Belgique... Dans notre pays, elle connut son apogée sous la IIIe République et donna lieu à de longs débats.

Dès 1866, dans son Grand dictionnaire universel, *Pierre Larousse n'hésitait pas à écrire à propos de la colonisation :* « C'est la conséquence de l'immense mouvement industriel qui, depuis 1815, a décuplé le travail des manufactures. Il faut à tout prix accroître les approvisionnements de matières premières et créer des débouchés pour les produits. (...) C'est en vain que quelques philanthropes ont essayé de prouver que l'espèce nègre est aussi intelligente que l'espèce blanche. (...) Un fait incontestable et qui domine tous les autres, c'est qu'ils ont le cerveau plus rétréci, plus léger et moins volumineux que celui de l'espèce blanche. Ce fait suffit à prouver la supériorité de l'espèce blanche sur l'espèce noire ». Comme beaucoup d'autres « penseurs » de son époque, Monsieur Larousse sème ainsi à tout vent des affirmations absurdes, scientifiquement infondées !

La colonisation prolonge en fait l'esclavage et la traite des Noirs au 18e siècle, sous couvert d'une ambition civilisatrice et républicaine inspirée de la France révolutionnaire de 1789. Beau prétexte pour opposer au « bon sauvage » un peu bêta qui accepte qu'on le guide vers une humanité supérieure, l'affreux rebelle qui, lui, refuse la domination

Branger / Viollet

Par centaines de milliers, des Africains vont mourir pour la France.
Août 1914, Champigny

1930,
le racisme sert à vendre
Jean-Loup Charmet

étrangère, la confiscation de sa terre, la destruction et le mépris pour la culture de ses ancêtres. En effet, cette inhumaine domination va vite donner naissance à des envies de liberté. Pour ces rebelles-là, pas de quartier ! Les armées coloniales ne rechignent devant aucune violence et leurs chefs comme les maréchaux Bugeaud, Gallieni ou Lyautey sont parés de toutes les vertus héroïques pour agir !

Certes, la conquête de chaque colonie n'obéit pas partout au même schéma. Elle peut s'appuyer sur des expéditions d'explorateurs audacieux, sur l'action de missionnaires religieux, sur l'implantation d'anciens comptoirs commerciaux. Mais quelle qu'en soit l'histoire, la violence contre les populations, physique ou morale, en constitue le trait dominant. Ainsi que l'accaparement de la quasi-totalité des pouvoirs et des richesses. Pendant que les colons font des affaires, profitent de l'exotisme du lieu, d'une main-d'œuvre contrainte à la soumission, les habitants de ces territoires doivent se taire et s'exécuter. L'album photo de « ce temps béni des colonies » déborde d'images dérangeantes où les belles

En France, des anticolonialistes

« La colonisation, c'est le pillage, le meurtre, ce sont des crimes commis contre de paisibles populations pour le profit d'une poignée de capitalistes avides de gains. » C'est Jules Guesde, penseur socialiste, qui s'exprime ainsi à la fin du 19e siècle. De nombreux écrivains, d'Anatole France à André Gide, prendront des positions analogues. Le groupe surréaliste, réunissant des artistes et des écrivains comme André Breton, Philippe Soupault ou Louis Aragon, rédige un tract en 1931 : « Ne visitez pas l'Exposition coloniale » et demande l'évacuation des colonies.

occidentales exigeaient tout de leur petit personnel local. Où de nombreux colons utilisaient pour régner en maître l'insulte, le bâton et l'humiliation. Ceci ne contredit pas le fait que certains colonisés aient pu profiter des écoles (les petits Africains s'y découvraient des ancêtres gaulois aux cheveux blonds !) ou des soins destinés à enrayer des épidémies dangereuses pour tous.

Une indépendance durement gagnée

Malgré le poids écrasant de son pouvoir, le colonisateur ne parvient pas à étouffer définitivement ce qui fait la mémoire collective de

Gouverneur français dans une plantation de café au Cameroun

Jean-Loup Charmet

1956, en Algérie, des militaires français encerclent un prisonnier

R. A. / Gamma

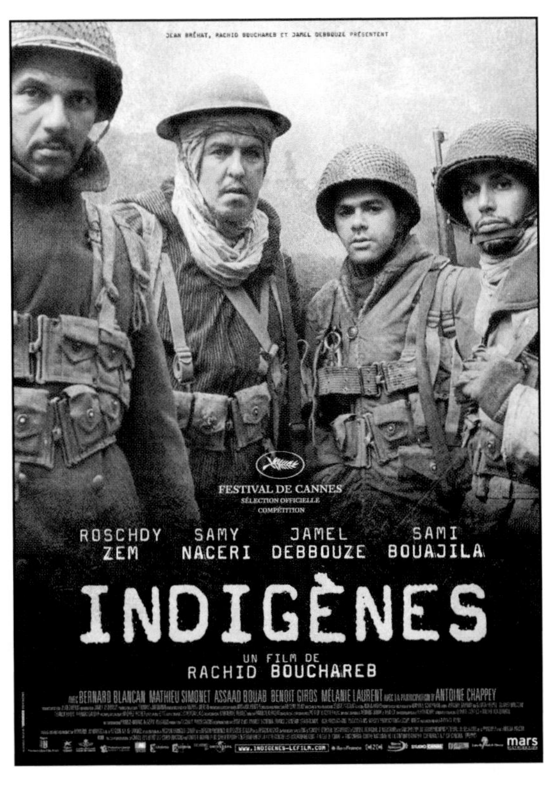

Affiche du film « Indigènes », réalisé par Rachid Bouchareb, qui traite de la participation de soldats originaires des anciennes colonies, à la défense du territoire national français, lors de la Seconde Guerre mondiale. Ce film a fait prendre conscience de l'injustice du traitement réservé par la France à ces anciens combattants.

chaque peuple, ce qui se transmet de génération en génération et nourrit les désirs de liberté et d'indépendance. C'est ainsi que se sont peu à peu structurés des mouvements anticolonialistes de libération nationale (en Indochine, ils sont déjà puissants au début du 20e siècle). Après la Seconde Guerre mondiale, ils connaissent un développement nouveau, auquel les pays colonisateurs répondent par la répression de masse (pour la France, ce sont des massacres en Algérie, en Indochine, à Madagascar). La France et ses divers gouvernements s'enlisent dès 1947 dans la guerre d'Indochine, qui durera sept ans jusqu'à son désastre militaire à Diên Biên Phu (guerre poursuivie par les Américains au Viêtnam). Puis, de 1954 à 1962, ils s'engagent dans la guerre d'Algérie (baptisée de « pacification »), où tous les moyens sont bons, jusqu'à la torture utilisée par certains militaires français, pour maintenir le joug. Elle s'achève par l'indépendance de l'Algérie acquise au prix d'environ 500 000 morts.

Cette période contribua à développer un racisme « anti-arabe », aux traces encore très présentes aujourd'hui mais elle vit naître aussi un fort courant anticolonialiste, respectueux de la richesse culturelle et de la liberté des peuples, qui existe toujours en France. Pour d'autres territoires, l'indépendance fut le résultat de négociations imposées par les populations au cours du grand processus de décolonisation qui a marqué la fin des années 1950 et les années 1960 comme en Tunisie ou au Maroc. Aux millions de morts chez les peuples colonisés, l'entêtement colonialiste a ajouté bien des douleurs chez ceux qui étaient partis « travailler aux colonies ». Comme pour ces Pieds-Noirs, Français installés depuis

Anciens combattants reconnus ?

Lors des deux grandes guerres, des centaines de milliers de jeunes issus des colonies ont combattu sous l'uniforme français. Les survivants n'ont jamais reçu de pensions équivalentes à celles des soldats français issus du continent. Les protestations, et un film comme *Indigènes*, de Rachid Bouchareb, vont-elles amener la France à régler enfin cette dette ?

Protestations et répression

Après la Deuxième Guerre mondiale, la protestation s'amplifie. Au cours de l'une de ces manifestations, huit militants anticolonialistes furent tués par la police au métro Charonne, à Paris, en février 1962. Le 17 octobre 1961, plusieurs centaines de manifestants algériens sont tués par la police française sur les quais de la Seine.

Des saisies de journaux dénonçant la guerre comme *L'Express* ou *L'Humanité* et des emprisonnements de militants marquèrent toute cette période.

De Gaulle
Parvenu au pouvoir en 1958 avec le soutien des partisans de l'Algérie française, le général de Gaulle comprend peu à peu l'impasse du conflit armé contre les mouvements de libération dans les colonies. Il finit par proclamer le droit du peuple algérien à « l'autodétermination », ce qui permet d'aboutir aux accords d'Évian, au cessez-le-feu le 19 mars 1962 et à l'indépendance le 5 juillet.

plusieurs générations au Maghreb, qui ont dû tout quitter, poussés par le vent d'une histoire qu'ils ne maîtrisaient plus. Souffrances aussi pour beaucoup de jeunes Français que l'on obligeait à aller combattre militairement des rêves de liberté (plus de 50 000 victimes parmi eux).

Une page tournée ?

De nos jours, en a-t-on fini avec le colonialisme ? Officiellement, oui ! Les anciennes colonies, devenues pays indépendants, ont leur propre gouvernement. Souvent, les peuples doivent s'y révolter contre des dirigeants corrompus et peu respectueux de la démocratie. De grandes compagnies financières américaines ou européennes y imposent leur loi en privilégiant les productions qui leur rapportent le plus, en sacrifiant l'environnement et en profitant du sous-emploi pour obtenir une main-d'œuvre à bas prix. Ce néo-colonialisme ne favorise en rien le développement agricole, industriel et social qui serait nécessaire à ces anciens pays colonisés. Écrasés par le pillage et l'endettement à l'égard des pays les plus riches, ils peinent à progresser. La faim, la maladie (en particulier le sida), le chômage y atteignent une gravité telle que beaucoup de familles tentent de chercher sur d'autres continents les moyens de survivre. C'est à leur encontre que s'exercent les nouveaux discours racistes.

Auparavant, les ultra-colonialistes en Algérie et en France s'étaient retrouvés dans une organisation terroriste, l'OAS (Organisation Armée Secrète) responsable de multiples attentats, y compris d'une tentative contre le général de Gaulle, au Petit-Clamart.

Alors, rien de changé ?
Le grand-père reprend la parole : « Heureusement que si ! Les jeunes d'aujourd'hui choisissent de s'ouvrir aux autres en voyageant, chantant ou jouant les musiques d'Afrique noire, du Maghreb ou d'Orient. Ils vivent des amitiés multicolores à l'école ou au stade... Belle revanche, je trouve ! »
Il est vrai que l'esprit colonialiste a pris un sacré coup de vieux : en France, on peut par exemple poursuivre en justice les pratiques racistes. Tous les pays du monde sont représentés à égalité de droits à l'ONU. Mais pour que vienne pleinement « le temps rêvé des solidarités », il va encore falloir être vigilants, attentifs aux autres et très inventifs. Autour de soi, dans sa classe ou son quartier, mais aussi à la tête des gouvernements.

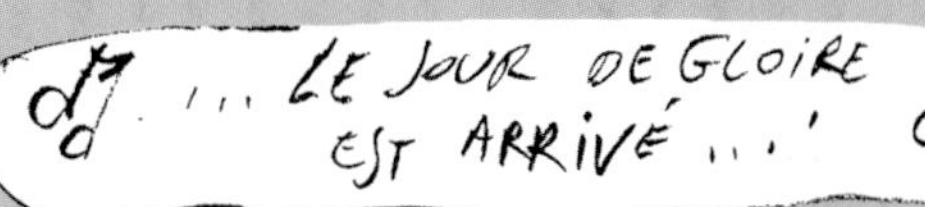

Petit dialogue franco-français

Thierry Lenain

– C'est marrant, les Français maintenant, ils parlent comme nous, avec nos expressions, notre accent !
– Attends, qui ça, « nous » ?
– Nous... Les Arabes !
– Mais tu es de quelle nationalité, toi ?
– Algérienne.
– Tu as la carte d'identité algérienne ?
– Euh non... La carte d'identité française.
– Alors tu es Français.
Tu fais partie des Français.
– Ben... Oui.
– Alors pourquoi dis-tu :
« Les Français parlent comme nous » ?
– Parce qu'ils parlent comme nous maintenant !
– Que des mots arabes enrichissent la langue française, c'est certain, et depuis longtemps... Mais en disant : « Les Français parlent comme nous », tu mets d'un côté les Français et de l'autre les Arabes. Comme si un Arabe ne pouvait pas être français. Je connais plus d'un raciste qui rêve de ça : aucun Arabe parmi les Français... Finalement, même si tu n'es pas d'accord avec ces gens-là, tu parles comme eux : dans ton langage, « Français » égale « Blanc ». Tu te sors toi-même du peuple français ! Les racistes t'applaudissent...
– Dis que je parle mal, tant que tu y es...
– Tu sais, l'autre jour, un instituteur très sympa m'a confié : « Moi, je ne fais aucune différence entre les petits Maghrébins et les petits Français »...
– Pourquoi, ils ne sont pas français les Maghrébins de sa classe ?
– Tu as raison, il faut faire attention aux mots : il leur arrive de nous piéger. Appelle les Blancs comme tu veux : Gaulois, Visages pâles, Guewris, Romis...
De toute façon, ce sera aussi approximatif qu'Arabes, Noirs, Asiatiques...
Mais garde le terme Français pour nous tous. La France, elle est à toi aussi. Pourquoi la laisser aux racistes ?

Depuis la préhistoire, on migre vers des terres où vivre sera peut-être moins rude.

On change de territoire, poussé par une guerre, une famine ou un rêve.

SUR LE PONT DES IMMIGRÉS

Par Laurent Canat

Aux invasions des Romains, des Vikings, des Sarrasins et de dizaines d'autres peuples qui ont marqué le premier millénaire succèdent, au Moyen Âge, des mouvements de population plus limités. Avec la Renaissance, des marchands, des artistes, des artisans saisonniers se déplacent davantage pour des raisons économiques, mais ce sont aussi des persécutés politiques qui trouvent refuge en France. Des Français sont également contraints de quitter leur pays, comme par exemple plusieurs centaines de milliers de protestants qui ont fui la persécution, après la révocation de l'édit de Nantes par Louis XIV en 1685.

L'ère de l'industrie et des guerres mondiales

Au 19e siècle, avec le développement des transports, il devient plus facile de sortir de son village pour tenter fortune ailleurs. Et justement l'industrie française a besoin de bras. À partir de 1850, les Belges traversent la frontière pour travailler dans les mines, le textile ou l'agriculture du Nord ; les Piémontais (du nord de l'Italie) vont s'employer en Provence. Ils travaillent durement, leurs enfants aussi parfois, pour remonter le charbon ou filer le coton. Si la vie n'est pas aisée pour ces familles, elle ne l'est pas non plus pour ces Auvergnats, ces Bretons ou ces Savoyards qui montent travailler à Paris. Souvent, les uns comme les autres ne maîtrisent pas la langue française, dont l'enseignement ne se généralisera qu'à la fin

La honte

« L'immigré,
c'est la honte.
C'est la honte deux fois :
la honte d'être ici,
car il y a toujours
quelqu'un pour te dire
et pour te faire
dire pour quelles raisons
tu es là ; tu n'as pas
à être là, tu es de trop ici,
ce n'est pas ta place...

La deuxième honte,
c'est là-bas ;
c'est d'avoir quitté là-bas,
c'est d'être parti de là-bas,
c'est d'avoir émigré.
Car, qu'on le veuille
ou non, même quand
tout le monde cache cela,
se cache cela,
quand tout le monde
ne veut rien savoir de cela,
émigrer reste toujours
une faute. »

Ces propos d'Abbas, Algérien arrivé en France en 1951, sont cités dans *La misère du monde* , de Pierre Bourdieu, (Le Seuil).

Harlingue / Viollet

Émigrants italiens quittant leur pays

du 19e siècle. Vers 1850, on compte 400 000 étrangers en France, 1 million en 1880, 1,2 million en 1914. Ils sont essentiellement italiens, belges, espagnols, allemands et polonais. Les premières tensions racistes apparaissent ; on traite les Italiens de « Ritals » ou les Polonais de « Polaks ».

Avec la fin de la Première Guerre mondiale, l'immigration repart de plus belle, mais cette fois organisée par le patronat. En 1924, est créée la Société générale d'immigration (SGI), qui sera active jusqu'en 1945. Elle introduira 400 000 travailleurs pour la seule période 1924-1930. C'est l'âge d'or de l'immigration en France. À cette époque, 3 millions d'étrangers constituent 7 % de la population résidant en France, qui devient le premier pays d'immigration au monde, devant les États-Unis. Les deux guerres mondiales ont largement fait appel aux hommes nés loin de l'Hexagone. À ceux des colonies bien sûr, morts par milliers pour la France, mais aussi à des Européens ou à des Asiatiques, utilisés pour intensifier la production industrielle, à l'arrière, de 1939 à 1945. On comptera beaucoup d'Arméniens, de Polonais, d'Italiens, d'Espagnols dans les combats de la Deuxième Guerre mondiale et dans la résistance antinazie.

On a encore **besoin de vous !**

À la fin de la Seconde Guerre mondiale, tout a changé. Il ne reste plus que 1 750 000 étrangers en France. Malgré les besoins de la

Harlingue / Viollet

Accueil des ouvriers italiens
par la ville de Puteaux en 1920

Expulsion d'immigrés
polonais ayant participé aux grèves
de mineurs en 1934

Viollet

reconstruction du pays, ce chiffre reste stable durant dix ans car la France manque de logements et de nourriture, ce qui dissuade de nouvelles installations.

À partir de 1955 et jusqu'en 1970, le décollage industriel amène les grandes entreprises à faire massivement appel à la main-d'œuvre étrangère, principalement issue du pourtour méditerranéen. Il faut produire beaucoup et à moindre coût. Elles organisent même le recrutement sur place, dans les villages les plus reculés des anciennes colonies, faisant miroiter une France paradisiaque. Les Africains, originaires du Maghreb et d'Afrique noire, n'étaient que 105 000 en 1931. Ils passent progressivement à 1 192 000 en 1975, soit un tiers des 3 442 000 étrangers vivant en France.

HOMO SAPIENS SANS PAPIENS

Ces immigrés sont principalement des Algériens qui ont conquis leur indépendance en 1962. Ils viennent travailler, la plupart du temps, comme ouvriers sans qualification, afin d'apporter à leur famille restée au village le revenu indispensable à sa survie. Il s'agit d'une immigration temporaire. C'est par exemple l'aîné qui vient travailler quelques années en France, puis il est remplacé par le cadet et ainsi de suite, parfois auprès d'un même employeur. Les immigrés de cette période sont aussi portugais, turcs ou yougoslaves. Tous connaissent la douleur de l'isolement, du rejet, qui vient s'ajouter aux multiples problèmes quotidiens : trouver un logement, vivre avec un salaire dérisoire, économiser pour le reste de la famille. C'est l'époque des « marchands de sommeil », qui les entassent dans des dortoirs insalubres, des foyers sinistres pour célibataires, des bidonvilles qui n'en finissent pas d'attendre d'être réhabilités. L'époque aussi des vexations racistes ou même des agressions qui prolongent pour certains nostalgiques l'arrogance coloniale.

L'heure des difficultés

Avec les difficultés économiques qui se font jour dans toute l'Europe entre 1971 et 1975, les besoins en main-d'œuvre diminuent et le chômage fait son apparition. Les pays d'Europe occidentale ferment

Famille portugaise dans le bidonville de Nanterre, en 1965

F. Sautereau / La Vie / Ciric

Des Français émigrent aussi

Au 19e siècle et au début du 20e, plusieurs milliers de bergers basques ont quitté la France pour l'Amérique. Des Bretons ou des Auvergnats sont aussi partis à la conquête de l'Ouest comme marins ou éleveurs. Par ailleurs, il est fréquent de voir de nos jours, dans les zones frontalières, des Français choisir de travailler à l'étranger, en Allemagne ou en Suisse par exemple. D'autres s'installent pour plusieurs années à l'autre bout du monde, parfois pour leur vie. Ils sont actuellement plus de 1,2 million (2 % de la population) à vivre et travailler à l'étranger.

alors leurs frontières à de nouveaux travailleurs, ce qui empêche ceux installés de se faire remplacer. En France, on tente même à deux reprises (1974 et 1977) d'interdire le rapprochement avec le mari, l'épouse ou le parent déjà présent sur le territoire mais la pression des organisations de défense des Droits de l'homme parvient à le rétablir. Ces modifications vont féminiser et rajeunir l'immigration : comme l'épouse, les enfants arrivent, à moins qu'ils ne naissent ici. On ne parle plus de travailleurs immigrés mais d'immigrés tout court. Les femmes intègrent peu à peu les rythmes nouveaux, ont moins d'enfants, s'emploient à l'extérieur de la maison. Elles représentent désormais la moitié de la population étrangère.

On sait désormais que ces familles resteront et vieilliront ici. On fait pourtant tout pour les inciter au retour mais les jeunes qui ont grandi en France ou y sont nés, la « seconde génération », n'acceptent pas qu'on les considère comme des étrangers. Ils ne comprennent pas qu'on leur demande de rentrer dans un pays, celui dont sont originaires leurs parents, qu'ils ne fréquentent que pour les vacances sans même parfois en connaître la langue !

En même temps, les conditions de vie se font plus dures. Les immigrés dont la peau n'est pas assez claire sont les premiers à souffrir du chômage, notamment dans l'automobile et la sidérurgie, qui les licencient en priorité. En 2006, un étranger (hors

Lors de l'occupation du gymnase de Cachan en 2007 par les sans-papiers
Thomas Samson / Gamma

Sans-papiers
Ils sont chaque semaine des milliers à quitter leur pays d'Afrique, d'Asie ou d'Europe de l'Est pour tenter de trouver dans un État européen les moyens de vivre. Faute d'avoir les papiers nécessaires à leur immigration, ils sont parfois refoulés à la frontière, y compris de manière brutale. Certains parviennent à pénétrer en France sans autorisation : on les nomme les « sans-papiers ». Ils essayent de subsister clandestinement et s'entassent dans des logements sans confort. Ces dernières années, plusieurs immeubles abritant des familles immigrées ont subi des incendies tant ces lieux étaient insalubres.

Solidarité
Des Français parfois se mobilisent pour empêcher la reconduite aux frontières de familles de sans-papiers quand, par exemple, des enfants scolarisés voient ainsi leur avenir menacé. Ils parrainent par exemple ces personnes en difficulté pour les placer sous leur protection.

Manifestation contre le racisme et l'antisémitisme à la mémoire d'Ilan Halimi, jeune d'origine juive, décédé en 2006 après avoir été enlevé et torturé J. Luyssen / Gamma

Union européenne) actif sur quatre est sans emploi (et même un sur trois chez les moins de 24 ans). Une inégalité douloureusement vécue dans les banlieues des grandes villes et une situation idéale pour que le racisme remonte à la surface avec des arguments simplistes et blessants. Non, si les immigrés rentraient chez eux, il n'y aurait pas davantage d'emplois pour les Français d'origine ! Ceux-ci ne pourraient pas remplacer les immigrés dans toutes leurs tâches (souvent les plus ingrates). Et le pays aurait du mal à se remettre du départ d'autant de consommateurs nécessaires à son économie !

L'immigration actuelle en France

En 2007, il y a environ 5 millions d'immigrés sur le territoire national (soit 7,8 % de la population). 200 000 personnes entrent en France chaque année. Environ 100 000 choisissent, à l'inverse, de la quitter.

La moitié des enfants issus de l'immigration sont des enfants nés de couples mixtes.

Une France et une Europe qui se cherchent

Depuis 1980, la politique française d'immigration oscille entre une plus grande fermeture des frontières et une ouverture limitée. Mais certains secteurs comme l'habillement, la restauration et l'agriculture saisonnière continuent d'embaucher des immigrés entrés clandestinement sur le territoire français par des filières de travail au noir (non déclaré à l'administration), parfois avec l'accord tacite des autorités. Ces sans-papiers sont alors exposés à tous les abus. Souvent ignorants de leurs droits, ils sont surexploités. Avec le soutien de nombreux Français ou d'autres immigrés, ils agissent pour que leur dignité soit reconnue. En refusant de régulariser leur situation administrative, en les renvoyant dans leur pays même si leurs enfants vont à l'école en France parfois depuis plusieurs années, ne laisse-t-on pas perdurer bien des injustices et des souffrances ?

Droit de vote

De nombreuses associations et des partis politiques proposent que les étrangers soient associés à la vie du pays en ayant le droit de voter. Une manière de reconnaître leur rôle dans la société.

Fête dans un café de Gennevilliers — Stephan Zaubitzer / Tendance Floue

En Europe, vivent 25 millions d'extra-Européens, soit 5,5 % de la population totale. L'Allemagne est le premier pays d'immigration avec 7,3 millions d'étrangers (9 % de la population), appelés *Gastarbeiter* ou *travailleurs invités*. Ils viennent principalement de Turquie (près de 2 millions), d'ex-Yougoslavie (1 million) et des anciens pays de l'Est. Trop souvent, on y incendie un appartement ou le véhicule d'une famille turque. Mais beaucoup d'Allemands sont aussitôt là pour réagir et protester contre ces actes racistes.

En fait, les migrations internationales ont évolué, la mobilité des hommes s'est amplifiée. Ceux qui arrivent aux frontières de l'Union européenne aujourd'hui ne sont plus comme auparavant de pauvres agriculteurs ne possédant que leurs bras. Ce sont plutôt de jeunes adultes venus des grandes villes du tiers-monde, qui souvent savent lire et écrire, et peuvent construire un « projet migratoire », avec l'espoir de vivre et travailler dignement tout en fuyant la misère. Leur projet est individuel même s'ils savent qu'ils trouveront de l'aide d'abord dans le groupe d'origine, la « communauté ». Mais depuis le traité de Maastricht (1995), une vision de « l'Europe forteresse » leur refuse cet espoir. C'est pourtant lorsqu'on est en pleine construction, comme l'Union européenne actuellement, que les énergies, les talents extérieurs sont bienvenus. N'est-ce pas le moment de laisser une place aux Français de demain, une chance aux Européens de demain ?

Voisins

En Grande-Bretagne, l'immensité de l'Empire colonial, transformé par les indépendances en *Commonwealth*, a ajouté à l'immigration traditionnelle irlandaise (400 000 aujourd'hui) des apports d'Inde, du Pakistan et du Bangladesh, représentant 300 000 personnes.

En Belgique (860 000 immigrés, soit 8,3 % de la population) ou aux Pays-Bas (700 000, soit 4,3 % de la population), les jeunes issus de l'immigration doivent aussi agir pour faire reculer le racisme dont ils sont victimes.

Je me souviens du bruit des sirènes

Je me souviens du bruit des sirènes des bateaux qui partaient pour la France. Elles résonnaient dans tout Tunis. Chaque famille, même si elle n'avait pas d'enfants qui partaient, en avait les larmes aux yeux.
Quand je suis parti, moi l'orphelin, le sans-famille, et que la sirène du *Ville de Tunis* a déchiré le soir, je savais que des mères, des pères versaient des larmes. Cela me réchauffait le cœur. Comme m'avaient ému, jusqu'aux larmes, les petites boulettes de viande que l'on m'avait offertes, pour le voyage, ainsi qu'une belle chéchia rouge que j'avais fièrement posée sur mes cheveux. (...)
Quand le bateau s'est éloigné du port, je suis resté longtemps agrippé au bastingage et j'ai pensé que je ne reviendrais plus en Tunisie, alors j'ai jeté la chéchia à la mer et je l'ai regardée flotter sur les vagues, jusqu'à ce que je ne distingue plus la tache rouge. Et quand je suis arrivé à Marseille, j'ai jeté ce qui restait des petites boulettes à la mer.
C'était tôt le matin, il faisait froid, sombre, humide, et je devais me rendre à la gare Saint-Charles pour prendre le train qui allait à Paris, puis changer pour aller à Beauvais.
J'ai regardé les gens, en serrant bien fort la poignée de la valise, comme si c'était le seul lien qui me reliait à la vie.
J'étais inexistant, transparent, on me bousculait presque, sans me voir, sans me parler, et la phrase de Victor Hugo a résonné dans ma tête : « Il s'en va dans l'abîme, il s'en va dans la nuit. » J'étais arrivé en France, je découvrais l'indifférence et j'ai pensé que cela allait être dur, très dur. (...) Je n'ai jamais parlé

de tout cela à personne, et surtout pas à mes enfants. Oui, cela a été très dur, si dur que je ne suis pas resté à Beauvais. J'ai préféré venir à Paris, je pensais que ce serait plus facile, qu'il y avait beaucoup plus d'immigrés, que je me sentirais plus à l'aise. Et voilà comment je me suis retrouvé dans le bureau de recrutement de la régie Renault. Je me sentais un peu comme Pierre Loti, celui qui était amoureux d'une jeune Turque, Azyadé. Par amour pour elle, il est allé en Turquie, il est aussi tombé amoureux du pays, d'Istanbul, il s'est même converti à l'islam. Moi, j'étais amoureux de la culture et de la langue françaises, je suis venu en France et j'ai aimé Renault, comme on aime une maîtresse. C'est pour elle que j'ai suivi les stages de perfectionnement. Je ne suis pas devenu Pierre Loti, mais pour un Mohamed, je ne suis pas resté vissé à la chaîne, j'ai évolué.

Témoignage de Khémaïs,
extrait de *Mémoires d'immigrés : l'héritage maghrébin*,
Yamina Benguigui, Canal + Éditions

Dans de nombreuses régions du monde, on exclut ou on tue parce que l'autre n'a pas la même religion, la même histoire, ou ne rêve pas de paix dans la même langue.

L'intolérance et le racisme nourrissent bien des conflits locaux.

AILLEURS ET PARTOUT

Par Jean-Marie Henry

La couleur de peau, la différence ethnique ou religieuse sont souvent au cœur des guerres. Mais les raisons de ces affrontements sont plus complexes, et c'est un ensemble de causes imbriquées qui permettent d'expliquer tel ou tel conflit. Par contre, très souvent, le racisme et l'intolérance sont exploités dans des périodes de tensions et de violences pour dresser les populations les unes contre les autres.

Quand l'injustice conduit au racisme

Pendant la colonisation, les Européens se sont souvent appuyés sur des rivalités entre ethnies pour les diviser et renforcer ainsi leur domination. Des injustices et des ressentiments sont nés au sein de ces populations et ont pu se transformer en une haine destructrice. Ainsi, en 1994, le Rwanda (Afrique centrale) verra plus de 800 000 Tutsis massacrés par les Hutus. Anne-Marie, infirmière française, raconte comment elle a pu sauver les enfants tutsis de l'hôpital de Kigali dans lequel elle travaillait : « La radio diffusait des messages qui appelaient à tuer tous les Tutsis. Quand quatre Hutus sont arrivés avec des machettes et ont

Réfugiés fuyant la violence au Rwanda, en 1996 Wim Van Cappelen / RÉA

demandé à entrer, nous avons refusé. Ils ont insisté. Le médecin qui avait soigné l'un d'eux leur a dit de le tuer d'abord. Alors, ils sont repartis. » Malheureusement, cette histoire est un cas bien particulier. Réagissant à l'assassinat du président du Rwanda, le 6 avril 1994, les Hutus ont en effet perpétré un génocide d'une indescriptible barbarie contre des centaines de milliers d'innocents, comme aveuglés par la haine de la communauté tutsie.

Protéger les réfugiés

En 1951, l'ONU a créé le HCR (Haut Commissariat des Nations unies pour les réfugiés). Celui-ci est chargé de la protection des réfugiés du monde entier, contraints de trouver asile à l'étranger.

Avec l'aide d'ONG (organisations non gouvernementales), il leur procure des tentes, s'occupe de l'éducation des enfants, etc.

Même si dans la plupart des pays du monde, les différences religieuses ne sont pas des obstacles à une bonne entente entre les hommes, il arrive qu'une mauvaise répartition du pouvoir et des richesses conduise des êtres humains qui n'ont pas la même religion à se vouer une haine farouche. Ainsi, l'Irlande du Nord a connu bien des souffrances dont elle parvient à peine à se sortir. Au Liban, c'est l'inégalité entre chrétiens et musulmans qui contribuera à plonger, de 1975 à 1990, le pays dans une guerre civile où disparaîtront près de 7 % de sa population. Et de telles guerres n'en finissent pas de se terminer. Elles sont le terrain favori de tentatives de déstabilisation. Trente ans après, le Liban est toujours en proie à la violence.

Quand la religion est intimement liée au fonctionnement de la société, il peut arriver qu'elle entretienne un phénomène

Intouchables près de Patna, en Inde Boisseaux-Chical / RÉA

d'exclusion vis-à-vis d'une partie de la population. En Irak, la violence qui sévit entre musulmans chiites et musulmans sunnites est par exemple liée à la question du partage du pouvoir.
En Inde, le système des castes, qui divise les habitants du pays en plusieurs catégories, est à l'origine du rejet de la plus basse d'entre elles, celle des Intouchables (dans les croyances hindoues, celui qui les touche devient impur). L'immense majorité des membres de cette caste vit dans la pauvreté et exerce les métiers les plus ingrats (tannage, manipulation des ordures, etc.). Depuis 1949, la Constitution a officiellement aboli le système des castes, des lois ont été votées en faveur des Intouchables. En 1981, alors que le gouvernement indien avait ouvert aux Intouchables l'entrée des universités de médecine, des émeutes eurent lieu pour leur en interdire l'accès : elles feront vingt-cinq morts !

Des peuples, des frontières, des États

Rouben est arménien. Il est presque centenaire et vit à Marseille. Il raconte souvent à son petit-fils le massacre de son peuple par les autorités ottomanes en 1915 : « J'avais 10 ans. Les soldats turcs sont venus. Ils ont fusillé mon père et tous les hommes du village. Ensuite, ils ont jeté les corps dans le fleuve.

Les premiers Australiens

Comme les Indiens d'Amérique, les Aborigènes (du latin *ab originis*, qui signifie *depuis l'origine*) ont terriblement souffert de l'arrivée des colons européens sur leur terre d'Australie. Leur nombre est passé de 300 000 à la fin du 18e siècle à une centaine de milliers au début des années 1970.

Ce n'est qu'en 1967 qu'ils obtiennent la nationalité australienne.

À partir de 1976, le gouvernement australien met en place une politique de reconnaissance à leur égard : restitution de leurs terres, intéressement sur les opérations minières qui y sont effectuées, promotion de leur langue et de leur culture.

Rue des Snipers (tireurs isolés) en Bosnie Sazy Laurent / Gamma

Youssef Boudlal / Gamma

La paix difficile

Yitzhak Rabin, chef du gouvernement israélien qui voulait construire la paix avec le leader historique des Palestiniens Yasser Arafat, a été assassiné en 1995 par un juif extrémiste.

Il était rouge de sang. Nous voulions exister, tout simplement exister. Nous osions revendiquer une terre où les Arméniens pourraient vivre en toute liberté. » Les autorités ottomanes vont ainsi massacrer 1,5 million d'Arméniens. Ce génocide n'est toujours pas reconnu par la Turquie ; en 2007, un journaliste turc qui se battait pour cette reconnaissance a été assassiné.

Le Moyen-Orient connaît depuis soixante ans d'autres douleurs. En 1948, l'ONU décide d'accorder aux juifs une partie de la Palestine pour y créer l'État d'Israël et ouvrir ainsi le chemin de l'espoir à un peuple éparpillé par l'Histoire, profondément meurtri par le génocide hitlérien. Dans le même temps, c'est le peuple palestinien qui se trouve de fait condamné à la souffrance. De part et d'autre, c'est très vite l'escalade de la haine, nourrie de racisme ; des milliers de morts pleurés dans les deux camps. Par centaines de milliers, les Arabes de Palestine vont quitter, sous la pression, la terre où ils vivaient depuis toujours.

Aujourd'hui, des mains se tendent, difficilement. Des gestes souvent découragés par des attentats aveugles commis par des militants de certains mouvements palestiniens ou des actions militaires israéliennes qui relancent à nouveau le cycle de la haine

Quand juifs d'Israël et Palestiniens vont-ils retrouver le respect mutuel qui leur permettait de vivre ensemble,il y a deux mille ans, sur la même terre ?

Écho en France

Le conflit israélo-palestinien entraîne parfois des incompréhensions, ou même des violences, entre les communautés juives ou musulmanes en France. Il est dangereux de confondre la politique des États et les individus dont la religion ou les origines ont un rapport avec ces États.

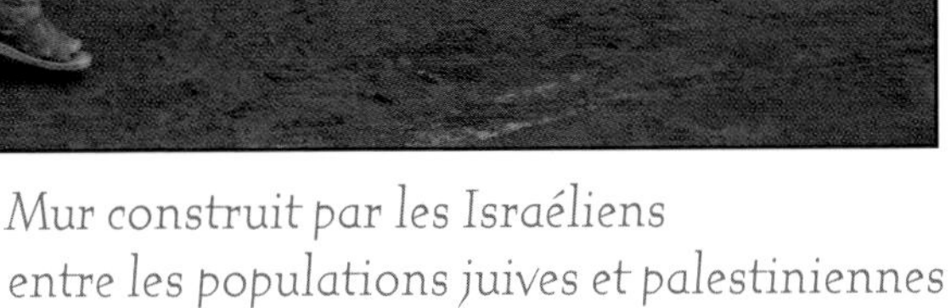

Mur construit par les Israéliens
entre les populations juives et palestiniennes

Afrique du Sud, la joie
à l'élection de Mandela
Louise Gubb / RÉA

Le nationalisme accorde à la nation la valeur suprême au nom de laquelle tout peut être justifié, parfois jusqu'au crime. Il s'appuie sur la haine de celui que l'on appelle l'ennemi et que l'on accuse de vouloir détruire la patrie. Il mène tout droit au racisme et entraîne le pire, comme la « purification ethnique » décidée par le gouvernement serbe. Elle visait à « vider » la Bosnie et le Kosovo de toute présence non serbe (expulsions, massacres, internements dans des camps) et d'éteindre ainsi toute revendication d'indépendance sur ces territoires. Le nationalisme est un poison si complexe pour les peuples que les Serbes en ont subi eux aussi les excès en Bosnie et au Kosovo, au titre d'autres nationalismes.

Il y a encore sur la planète de nombreux autres peuples dont le droit à exister et à disposer d'eux-mêmes n'est pas reconnu. Ils vivent sur des territoires appartenant quelquefois à plusieurs nations. Celles-ci considérant leurs frontières immuables interprètent les revendications d'indépendance comme une atteinte à leur intégrité. C'est souvent par la violence et un rejet raciste qu'elles cherchent à les étouffer. Le peuple kurde a dû ainsi subir tout au long de son histoire une répression venant de plusieurs États du Proche-Orient. Il en est de même pour les Tamouls au Sri Lanka ou les Sahraouis au Sahara occidental, par exemple. D'autres peuples voient aussi leur identité et leur culture bafouées par les autorités qui les gouvernent, comme les Tibétains au sud-ouest de la Chine.

Un homme, une voix

Un homme va consacrer toute sa vie à la lutte contre l'apartheid : Nelson Mandela. Avocat et membre de l'African National Congress (ANC), qui organisera la résistance noire dès 1912, il passera 27 années de sa vie en prison. Après la fin de l'apartheid, il reçoit le prix Nobel de la paix avec Frederik De Klerk, président blanc d'Afrique du Sud. En 1994, il devient à 74 ans le premier président noir de la République d'Afrique du Sud.

Roger-Viollet

AFP

Ci-contre à gauche :
Banc réservé aux Blancs en Afrique du Sud, 1970

À droite :
Nelson Mandela et Helen Suzman, militante anti-apartheid

Et pourtant, l'espoir demeure

En Afrique du Sud, il n'y a encore pas si longtemps, existait un système de lois racistes, l'apartheid (« séparation » en afrikaans), mis en place par les colonisateurs blancs afin d'organiser une véritable hiérarchie des droits entre les hommes de différentes couleurs. En haut de l'échelle, la minorité blanche à qui appartenait la totalité du pouvoir politique et qui était la seule à siéger au Parlement. Venaient ensuite les Asiatiques et les Métis. Au bas de l'échelle, la population noire, pourtant largement majoritaire. Celle-ci était condamnée à vivre dans des quartiers spéciaux, les *townships,* et dans des réserves, les *bantoustans.* Pour circuler en territoire blanc, les Noirs devaient présenter un laissez-passer. Chaque couleur avait ses propres hôpitaux, magasins, lieux publics, écoles. Ce racisme légal générait bien sûr de grosses inégalités : en 1985, 50 % des enfants noirs mouraient avant l'âge de cinq ans et 35 % n'étaient pas scolarisés.

Parce que quatre millions de Blancs ne pouvaient continuer à humilier éternellement douze millions de Noirs, deux millions de Métis et un demi-million d'Indiens, le système honteux de l'apartheid sera officiellement enterré en 1991. C'est au prix d'une longue et courageuse résistance que les Noirs auront réussi à convaincre des Blancs de bonne volonté que l'Afrique du Sud méritait l'égalité. Nelson Mandela est le symbole de ce combat.
Cette entente scellée entre tous les Africains du Sud est un gage d'espérance pour tous ceux qui veulent encore croire à la réconciliation d'êtres humains que la haine semblait avoir séparés à jamais.

Dear Mimmy,

Nous n'avons plus de vitres. Nulle part, sauf dans ma chambre.
À cause d'un sale obus qui a à nouveau touché la bijouterie Zoka en face de la maison. J'étais seule en haut à ce moment-là. Papa et maman préparaient le repas dans la cour, moi, j'étais remontée pour mettre la table. Tout à coup, j'ai entendu une violente explosion et un fracas de verre. Terrorisée, je me suis précipitée vers la cage d'escalier. J'ai alors vu papa et maman à notre porte. Ils étaient hors d'haleine, en nage, livides ; ils m'ont attrapée, et on a couru à la cave car, d'ordinaire, les obus, ça défile. Quand j'ai réalisé ce qui s'était passé, j'ai éclaté en sanglots, et je tremblais comme une feuille. Tout le monde a essayé de me réconforter, mais j'étais drôlement secouée. Je suis à peine remise maintenant. Quand nous sommes remontés, il y avait du verre partout dans l'appartement, toutes les vitres avaient éclaté. Nous avons ramassé les débris et mis des plastiques aux fenêtres. Je l'ai échappé belle. J'ai mis le culot et les éclats de l'obus dans un carton, et j'ai remercié Dieu de m'être trouvée dans la cuisine, autrement j'aurais pu recevoir l'un de ces maudits éclats. C'est L'HORREUR. Combien de fois l'ai-je écrit ? C'est L'HORREUR. Mais c'en est trop, maintenant. L'horreur a remplacé le temps qui passe. Peut-être qu'à Sarajevo, c'est ce nom-là qu'il faudrait donner au temps qui passe, car ça lui ressemble beaucoup.

Zlata qui t'aime.

Extrait de *Le Journal de Zlata Filipovic*,
Zlata Filipovic, Robert Laffont-Fixot

De coupes du monde de football en concerts mêlant les musiques du monde, de comédiens issus de l'immigration en présentateur de journal télévisé à la peau noire, la France bouge.

Comme la plupart des grands pays européens, elle avance peu à peu vers l'idée de métissage.

Sur ce chemin, il est urgent de faire cesser toute discrimination !

MULTICOLORES ON PRÉFÈRE

Par Chérifa Benabdessadok

Quand, lors de la finale du Mondial de football 1998, Zidane, Thuram, Karembeu ou Henry composent l'équipe de France victorieuse, le symbole est fort : chacun a son rôle à jouer dans nos réussites communes. Depuis, d'autres sportifs ont pris le relais et le sport continue d'être une fenêtre grande ouverte sur les diversités.

Ombres et lumières

Le monde du sport n'est pas à l'abri des réflexes racistes. Souvent, les sportifs sont amenés à exprimer leur réprobation, par exemple par une minute de silence lors d'un grand match, pour rappeler que la tolérance est au cœur de leurs valeurs.

Mais si la France sait se rassembler autour de ses équipes multicolores, c'est que le mouvement est profond dans le pays. Les performances de ces sportifs de haut niveau ne sont que la pointe émergée d'une France qui a changé sans vraiment s'en apercevoir. Loin des projecteurs des télévisions, des milliers de fourmis s'attellent en effet

Un Stade de France qui restera longtemps dans les mémoires

Bienvenue
Georges Charpak, prix Nobel de physique, est fils d'immigrés polonais. Le peintre Marc Chagall est né en Russie comme la Comtesse de Ségur. L'actrice Isabelle Adjani a des racines algériennes et la chanteuse Diam's est d'origine chypriote. On pourrait aussi citer les origines de centaines d'autres personnalités qui constituent l'identité de la France, Yannick Noah (Cameroun), Picasso (Espagne), Tahar Ben Jelloun (Maroc) ou Uderzo (Italie), le créateur d'Astérix le Gaulois...

à l'ouvrage pour faire vivre en positif la diversité du pays. Dans les quartiers de nos villes, des centaines d'animateurs, d'associations, de responsables de clubs sportifs, mènent un travail inlassable et anonyme, faisant entrer dans la vie ce défi multicolore.

Du côté des stades, ça marche bien. Les métiers du sport et de l'animation sont en nette progression. Chaque année, ce sont quelque 20 000 jeunes qui obtiennent un diplôme agréé par le ministère de la Jeunesse et des Sports. Fondée sur la notion de respect de soi, de l'adversaire, de l'arbitre, du règlement, la pratique sportive bien comprise est une bonne école de la vie ensemble. Et quand Patrick Vieira ou Zinedine Zidane parrainent des championnats interquartiers, ils rendent visible, sans grands discours, l'énergie multicolore des jeunes du pays. Mais le foot n'est pas l'unique discipline capable de réunir les jeunes de diverses origines : dans l'athlétisme, la boxe ou le rugby, on se surpasse aussi tout en couleurs... Et il n'y a pas que le sport pour porter ce désir de fraternité !

Festival de vitamines

La France est depuis longtemps la terre de toutes les cultures, toutes les cuisines, toutes les musiques du monde. Après avoir prouvé, avec beaucoup de difficulté et de souffrance, que vivre

ensemble est possible, elle est en train de montrer que vivre ensemble, c'est carrément mieux ! Comme un cocktail de vitamines qui tonifierait le pays tout entier. La musique découvre de nouvelles modulations, des sensibilités neuves. Le raï, né il y a de nombreuses années en Algérie, mêle allègrement le français et l'arabe. Les rappeurs aussi brassent leurs origines tout en faisant bouger notre langue. Que leurs parents viennent des Caraïbes, du Maghreb ou d'Afrique, ils sont d'abord des voix de leur génération. Leurs musiques sont partout perçues comme émanant de France Et pour cause : ils sont français !

Du côté de la danse, on invente également en métissant les pas et les figures. Conçu au départ par des danseurs-chorégraphes issus de l'immigration africaine, le hip-hop (dont la finalité est de transformer la violence en défis artistiques) se pratique tout près de là où nous vivons : une cave, une cour, les centres commerciaux, tout espace se transforme en piste de danse. De jeunes danseurs de rue appartenant à des lieux-dits « d'exclusion » ont mené des expériences d'une telle qualité qu'ils se sont hissés sur les plus grandes scènes. Fred Bendongué, qui a grandi aux Minguettes à Vénissieux, est ainsi passé par le Ballet national de Marseille avant de créer sa propre compagnie. La troupe Black Blanc Beur, issue de Saint-Quentin-en-Yvelines, est installée depuis longtemps au niveau international.

Plus de fraternité

Vivre ensemble, c'est aussi être solidaires. L'occasion de mieux se connaître et de s'enrichir mutuellement. Quand des mères de famille de toutes origines, souvent analphabètes, ayant passé toute leur vie dans leur cité, sont invitées par les bénévoles d'une association

Petit dej'

Thé, café ou chocolat ?
Quand on prend son petit-déjeuner, on boit des produits qui ont beaucoup voyagé avant d'arriver chez nous.
Le thé est constitué des feuilles séchées du théier, originaire d'Extrême-Orient.
Le café est la graine torréfiée et moulue du caféier, arbrisseau venu d'Abyssinie et d'Arabie.
Le chocolat est aussi issu d'une graine grillée, celle du cacaoyer, arbre répandu au Mexique et en Afrique.
Les échanges commerciaux au fil des siècles nous ont fait découvrir ces boissons que nous consommons aujourd'hui comme si elles avaient toujours fait partie de notre quotidien.
Pourtant, il y a à peine un siècle, le petit-déjeuner traditionnel en France était... une bonne soupe de légumes !
Et demain ?

La troupe Black Blanc Beur

C. Bardot / Safran

Mat Jacob / Tendance Floue

Philippe Lopparelli / Tendance Floue

à découvrir un spectacle à l'Opéra ou dans la galerie des sculptures françaises du musée du Louvre, quel bonheur pour toutes ces personnes et... pour la devise de la République en personne !

Ce sont aussi les grands frères (ou les grandes sœurs !) qui, dans des cités de banlieue, choisissent l'avenir plutôt que « les mauvais plans sans issue ». Ils se mobilisent pour que les plus petits « ne connaissent pas les mêmes galères qu'eux » et les aident par exemple à créer un club de foot ou un atelier de réparation de VTT. Tout comme ces 5 000 étudiants bénévoles (de l'Association de la fondation étudiante pour la ville) qui s'occupent en une année de 8 500 jeunes aux prises avec des difficultés scolaires en primaire ou au collège.
Florent, 21 ans, se rend ainsi une fois par semaine chez deux garçons habitant Nanterre. Il travaille avec eux les maths et l'orthographe. La couleur de peau a-t-elle la moindre importance lorsque Florent dit : « J'ai l'impression d'être leur grand frère, c'est la première fois que j'éprouve un tel sentiment » ?

Les mélangeurs de styles, les faiseurs de rencontres, les créateurs de neuf sont partout. De par leurs talents et leur générosité, ils font s'affaiblir peu à peu le racisme. Parfois, ça se voit tout en haut de l'affiche, dans un reportage à la télévision ou lors de la remise d'un prix. La plupart du temps, ça ne se voit pas, ça se vit, et c'est cela l'essentiel. Toutes ces réussites multicolores doivent nous inciter à penser et à nous remettre en cause. La réalité est en effet plus contrastée et ce n'est pas parce que l'on apprécie la vitesse de Makelele que l'on comprend sans effort son voisin de palier africain ! Surtout si la société elle-même ne donne pas l'exemple !

Dans l'escalier

Deux jeunes filles occupées à papoter dans la cage d'escalier gênent le passage de Jonathan, 16 ans. Énervé, il les insulte : « Sales bougnoules, retournez dans votre pays ! » Transformées en furies, selon ses propres termes, Fatoumata et Leïla le déculottent et lui donnent une fessée ! Honteux, gêné pour ses parents qui n'admettent pas que leur fils puisse proférer de telles insultes racistes, Jonathan téléphone au Mouvement contre le racisme et pour l'amitié entre les peuples (MRAP).
Une démarche originale car, habituellement, ce sont les victimes d'injures ou de discriminations qui s'adressent à l'association. Il parle de son humiliation, de son malaise. Puis il prend son courage à deux mains et va s'excuser chez Fatoumata et chez Leïla. Plus tard, il écrit au MRAP : « Je me rends compte de la puissance du racisme

Des graffs au défilé de mode dans un LEP, la banlieue innove

Meyer / Tendance Floue

ordinaire, y compris au lycée ». Et il ajoute : « Fatoumata et Leïla sont devenues mes amies, elles m'ont montré qu'il ne fallait jamais humilier l'autre mais le découvrir ». Jonathan ne doit surtout pas oublier que ces amies ne peuvent pas retourner dans leur pays : leur pays, c'est la France !

Testing

Pour mettre au jour certaines pratiques discriminatoires, très difficiles à prouver, des associations ont mis en place des actions de « testing », qui consistent à faire se présenter une personne issue de l'immigration à l'entrée d'une boîte de nuit ou d'une agence immobilière, par exemple, pour tester les réactions et constater éventuellement un délit de discrimination. La loi valide désormais une telle démarche.

En finir avec les discriminations

En parallèle à ce chemin fraternel, de nombreuses injustices subsistent, qui divisent les Français suivant leurs origines.
Il est beaucoup plus difficile de trouver un stage, un emploi ou un logement quand on se prénomme Karim que quand on s'appelle Matthieu... Et c'est encore plus délicat pour Karim issu d'une cité pauvre et de mauvaise réputation que pour Karim, fils d'une famille de diplomates habitant le centre de Paris ! Parce qu'un second racisme vient s'ajouter au premier : celui qui exclut les plus démunis d'entre nous.
Quand un jeune se heurte sans cesse à ces murs qui se dressent devant lui, qu'il est découragé par un énième refus d'embauche, comment ne pas comprendre sa colère ? Cette impuissance s'exprime même parfois avec une violence que certains jeunes ne parviennent malheureusement plus à maîtriser... ce qui ne fait que fournir des arguments supplémentaires à ceux qui les rejettent !
Si la société ne parvient pas à faire vivre le mot *égalité* dans la réalité quotidienne, les belles fêtes et réussites multicolores qui font sa force se changeront en de bien tristes défaites.

Vous avez dit intégration ?

Mouloud Aounit

Je m'appelle Mouloud Aounit.
Je suis né dans un petit village de Kabylie (en Algérie). J'ai fait mes premiers pas dans une ville rude et tendre de banlieue, Aubervilliers (en France).
À 50 ans passés, me voilà bien « intégré » dans mon pays d'accueil, la France, mais je vous avoue franchement : quand on me parle d'intégration, je ne sais vraiment pas ce que cela signifie. C'est à mes yeux un mot confus, ambigu, voire même dangereux. Pourquoi ?

Tout d'abord parce que le mot *intégration* est injustement mais toujours associé à *immigration* ; comme si l'intégration ne se concevait exclusivement que pour les immigrés. Pour tout être humain, s'intégrer dans la société est compliqué ! De plus tous les immigrés ne se ressemblent pas ; chacun est à la fois différent et semblable. Comme pour chaque Français, à chacun son chemin original !
Enfin, s'intégrer signifie un peu trop se fondre, risquer de disparaître.

Pour résoudre un problème, il faut bien l'énoncer. La question qui doit être posée est plutôt : « On intègre qui ? dans quoi ? et comment ? ».

Sous cet angle, on se rend compte que ceux qui souffrent de l'exclusion en France sont nombreux et qu'on ne peut pas les limiter aux seuls immigrés. Bien d'autres manquent d'argent, de formation ou bien de projets. Pour tous ceux-là, l'intégration ne se décrète pas, elle se vit. C'est l'aboutissement d'un périple jonché d'obstacles dont le plus blessant est le racisme.
Une certaine utilisation du mot *intégration* est à mon avis dangereuse : à force de l'entendre à la télévision ou dans la bouche des hommes politiques, ne finit-on pas par penser que depuis le temps qu'on en parle et que l'on n'y arrive pas, c'est parce que « ces gens-là » ne peuvent pas s'adapter à notre mode de vie ?

Je pense que l'intégration ne peut se concevoir sans efforts réciproques, sans politique des deux pas. Ceux effectués par l'immigré vers la société d'accueil. À ce sujet, reconnaissons-nous à leur juste valeur le sang et la sueur versés par ces hommes pour libérer et reconstruire la France au milieu du 20e siècle ? Parallèlement, la société d'accueil a des devoirs à l'endroit des immigrés. Malheureusement, cette main tendue n'a pas toujours été au rendez-vous. Dommage, car souligner l'apport des

immigrés au développement et à l'histoire du pays créerait un regard plus chaleureux sur cette population hélas mal vue.
En fait, je préfère vraiment le mot *insertion* à celui d'*intégration*.
Il est plus juste de parler d'insertion économique, sociale et culturelle.
Et quand on s'insère, on peut davantage rester soi-même, porteur de ses racines et de son cheminement.
Pour ma part, mon histoire m'a permis de m'insérer dans la vie de ma cité et de mon pays.
Sans jamais oublier d'où je viens, j'ai étudié, j'ai appris l'économie et je m'implique fortement aujourd'hui dans la vie associative : j'agis avec mes amis français, et de toutes origines, contre le racisme. Beaucoup reste encore à faire pour qu'insertion rime partout avec respect, écoute et compréhension. Selon certains sondages, le couscous viendrait juste après le steak-frites dans les habitudes culinaires des Français.
Cela veut-il dire que l'évolution des estomacs est plus rapide que celle des mentalités ?

Mouloud Aounit est secrétaire général du Mouvement contre le racisme et pour l'amitié entre les peuples (MRAP)

Les racistes sortent facilement de leur propre logique : quand ils ne trouvent pas une origine ethnique pour justifier leur volonté de dominer l'autre, ils lui reprochent une autre différence.

À leurs yeux on est toujours trop... ou pas assez...

NÉS SOUS LA MÊME ÉTOILE

Par Alain Serres

Trop roux, par exemple. Au 16e siècle, l'Inquisition a fait brûler près de 20 000 femmes rousses ou porteuses de grains de beauté. Elles étaient accusées d'avoir eu des relations sexuelles avec le Diable en personne ! Et combien de « Poil de carotte », à l'instar du héros de Jules Renard, ont été depuis montrés du doigt dans les cours de récréation ?

Trop « pas comme les autres ». Un handicap physique ou mental est une différence qui est encore considérée comme un obstacle à une relation naturelle entre individus. Pourtant les exemples sont nombreux, dans le sport ou à l'école, qui montrent que ces dysfonctionnements ouvrent à des échanges d'une rare richesse.

Trop gros, trop maigre. Trop grand, trop petit... La tyrannie des poids et mesures moyennes sévit sans honte. En décrétant les mensurations officielles, la publicité laisse encore de beaux jours à cette forme d'intolérance.

Vivre pleinement
sa différence

Caloni Bizeul / Gamma

Revy / Gamma

Trop différent en amour. Être homosexuel ou homosexuelle a souvent été mal compris dans l'histoire même si certaines sociétés l'admettaient parfaitement comme dans l'Antiquité. Ces personnes revendiquent aujourd'hui la liberté de choisir leur manière de vivre. Elles exigent, comme lors de la Gay Pride, d'être respectées. Et voir par exemple leur union reconnue, par les autres citoyens mais aussi par la loi.

Être une femme. Dans beaucoup d'endroits du monde, c'est un tort ! Les filles d'Afghanistan ont longtemps été interdites d'instruction et fort peu vont encore aujourd'hui à l'école. En Europe, à un niveau heureusement bien différent, des inégalités flagrantes subsistent : pour les salaires, la représentation au Parlement ou pour l'accès à des postes de décision dans les entreprises. Cela entretient un machisme dont beaucoup d'hommes ont du mal à se débarrasser.

Manifestation
« Stop
la Violence »

David Sauveur / Éditing

Marta Nascimento / RÉA

Atger / Éditing

Un pays, 63 millions de couleurs

D'autres discriminations fondées sur l'identité de la personne existent encore, à la fois éloignées de la définition du racisme et très proches de ses pratiques. Pourtant ne sommes-nous pas tous nés sous la même étoile ? Cette étoile que l'on nomme Soleil et qui s'attache justement à faire la lumière sur notre fabuleuse multitude ! Les rappeurs marseillais du groupe *I am* nous ramènent sur Terre en chantant l'inverse : « *On n'est pas nés sous la même étoile... Pourquoi j'ai dû stopper les cours ? Pourquoi lui n'avait pas de frères à nourrir ?* » Et ils ont aussi raison !

Des années-lumière séparent les conditions de vie des Terriens. Entre les pays riches et les pays pauvres, ou bien dans une même ville, chez nous, entre les barres d'immeubles et le centre-ville, c'est parfois la nuit et le jour. Ne faut-il pas chercher de ce côté-là aussi les raisons de la discrimination et des incompréhensions ? Ces jeunes qui chahutent en bas de l'escalier peuvent être beurs mais leur point commun, avant même leurs origines, n'est-il pas qu'ils sont sans espoir, sans argent, sans véritable issue à leurs problèmes ?

Un Français sur trois a un parent ou grand-parent d'origine étrangère mais les sentiments et les souvenirs familiaux ne suffisent pas pour se sentir *naturellement* antiraciste. La France de Thuram et Zidane doit encore pousser la balle plus loin pour en finir avec tout ce qui nourrit ses démons racistes : la pauvreté, le manque d'avenir et le chômage. Partout dans le monde, mieux faire vivre la fraternité passe le plus souvent par ces combats pour l'égalité.

Mais la culture et la mémoire aident aussi à faire reculer le racisme. En connaissant les ressorts de l'esclavage ou l'horreur de la Shoah, on sait mieux qui l'on a envie d'être. Et se sentir un peu Indien, un peu Tsigane, apprendre à partager le poids de la valise de ceux qui vivent l'immigration, tout cela permet de mieux comprendre sa place parmi les autres.

N'attendons pas les bras croisés ce jour de fête où le racisme aurait disparu des cités et des villages de la planète. Chacun son initiative, sa décision simple de ne pas se laisser aller aux idées toutes faites qui tous les jours nous tendent la main. A chacun son poème ou sa chanson pour crier fort l'envie de vivre ensemble, en paix, dans les cités où l'on fait bêtement payer au voisin le non-respect que l'on subit de la part de la société.

Dans un concours de *free style*, Mourad le dit à sa manière, en improvisant devant une poignée de copains :

OK ! Ta cité est à réaménager, à ré-imaginer
mais si tu divises ses habitants
les Noirs, les Bleus, les Blancs
C'est la bonne affaire pour les truands.

Parfois des signes d'espoir nous rendent optimistes. À l'heure d'Internet, tout le monde espère par exemple que la grande toile informatique tissée par les satellites va aider à rapprocher définitivement les hommes. On y cause avec une saxophoniste de Caracas en Colombie à propos d'un ami d'Australie tout en tapotant sur son clavier au collège de Nanterre (92)... mais là aussi, la haine a vite fait son nid. Des sites du Web colportent des propos racistes, voire même des appels au meurtre, que d'autres doivent s'appliquer à dénoncer.

Rien n'est simple mais il ne faut pas se laisser décourager ! L'essentiel est de savoir qu'il n'y a pas d'acte raciste mineur et donc qu'il n'y a pas, non plus, d'acte antiraciste inutile... Il ne faut rien négliger : le proverbe chaleureux que l'on recopie sur un agenda, un bon livre que l'on passe à une copine, l'affiche d'une association collée devant l'école, un argument clair qui met les pieds dans le plat dans une soirée où les histoires drôles dérapent...

Sur un terrain de foot de banlieue ou à la tribune de l'ONU, aucune parole d'aucun Terrien n'est de trop pour dire l'amitié, le respect, la beauté changeante des humains.

Et si notre étoile commune, notre bonne étoile, c'était elle ?
La parole qui rêve à voix haute
et en couleurs...

Le 21 mars est
une journée internationale
pour l'élimination
de la discrimination
raciale,
décidée par l'ONU.

Manuelle Toussaint / Gamma

C'est essentiellement la loi du 1er juillet 1972 qui sert de référence dans la lutte contre le racisme. La loi du 13 juillet 1990, dite « Loi Gayssot », la renforce en introduisant notamment le délit de contestation de crime contre l'humanité. La législation a été encore durcie en 2003 et 2004. La circonstance aggravante à caractère raciste ou homophobe a été introduite dans le Code pénal. Les peines encourues en cas de discrimination ont été alourdies : 3 ans de prison et 45 000 euros d'amende (au lieu de 2 ans et 30 000 euros). Le délai de prescription pour porter plainte contre des propos ou des écrits racistes a été allongé : il est fixé à 1 an, contre 3 mois pour les autres délits. Il existe aussi une Convention internationale, adoptée par l'ONU en 1965, sur l'élimination de toutes les formes de discriminations raciales.

La loi contre le racisme

PRINCIPE DE NON-DISCRIMINATION

Constitue une discrimination toute distinction opérée entre les personnes physiques à raison de leur origine, de leur sexe, de leur situation de famille, de leur grossesse, de leur apparence physique, de leur patronyme, de leur état de santé, de leur handicap, de leurs caractéristiques génétiques, de leurs mœurs, de leur orientation sexuelle, de leur âge, de leurs opinions politiques, de leurs activités syndicales, de leur appartenance ou de leur non-appartenance, vraie ou supposée, à une ethnie, une nation, une race ou une religion déterminée.

(Art. 225-1 alinéa 1 du Code pénal, modifié par la loi du 23 mars 2006.)

RACISME DANS LA VIE COURANTE

La discrimination définie à l'article 225-1, commise à l'égard d'une personne physique ou morale, est punie de 3 ans d'emprisonnement et de 45 000 euros d'amende lorsqu'elle consiste :

1° À refuser la fourniture d'un bien ou d'un service ;

2° À entraver l'exercice normal d'une activité économique quelconque ;

3° À refuser d'embaucher, à sanctionner ou à licencier une personne ;

4° À subordonner la fourniture d'un bien ou d'un service à une condition fondée sur l'un des éléments visés à l'article 225-1 ;

5° À subordonner une offre d'emploi, une demande de stage ou une période de formation en entreprise à une condition fondée sur l'un des éléments visés à l'article 225-1 (...)

Lorsque le refus discriminatoire prévu au 1° est commis dans un lieu accueillant du public ou aux fins d'en interdire l'accès, les peines sont portées à 5 ans d'emprisonnement et à 75 000 euros d'amende.

(Art. 225-2 du Code pénal, modifié par la loi du 9 mars 2004.)

RACISME DANS LES SERVICES PUBLICS OU L'ADMINISTRATION

La discrimination définie à l'article 225-1, commise à l'égard d'une personne physique ou morale par une personne dépositaire de l'autorité publique ou chargée d'une mission de service public, dans l'exercice ou à l'occasion de l'exercice de ses fonctions ou de sa mission, est punie de 5 ans d'emprisonnement et de 75 000 euros d'amende lorsqu'elle consiste :

1° À refuser le bénéfice d'un droit accordé par la loi ;

2° À entraver l'exercice normal d'une activité économique quelconque.

(Art. 432-7 du Code pénal, modifié par la loi du 9 mars 2004.)

LÉGALISATION DU « TESTING »

Les délits prévus [par les articles 225-1 et 225-2 du Code pénal] sont constitués même s'ils sont commis à l'encontre d'une ou plusieurs personnes ayant sollicité l'un des biens, actes, services ou contrats (...) dans le but de démontrer l'existence du comportement discriminatoire, dès lors que la preuve de ce comportement est établie.

(Art. 225-3-1 du Code pénal, inséré par la loi du 31 mars 2006.)

RACISME AU TRAVAIL

Aucune personne ne peut être écartée d'une procédure de recrutement ou de l'accès à un stage ou à une période de formation en entreprise, aucun salarié ne peut être sanctionné, licencié ou faire l'objet d'une mesure discriminatoire, directe ou indirecte, notamment en matière de rémunération (...), de mesures d'intéressement ou de distribution d'actions, de formation, de reclassement, d'affectation, de qualification, de classification, de promotion professionnelle, de mutation ou de renouvellement de contrat en raison de son origine, de son sexe, de ses mœurs, de son orientation sexuelle, de son âge, de sa situation de famille ou de sa grossesse, de ses caractéristiques génétiques, de son appartenance ou de sa non-appartenance, vraie ou supposée, à une ethnie, une nation ou une race, de ses opinions politiques, de ses activités syndicales ou mutualistes, de ses convictions religieuses, de son apparence physique, de son patronyme ou en raison de son état de santé ou de son handicap. (...)

Aucun salarié ne peut être sanctionné, licencié ou faire l'objet d'une mesure discriminatoire pour avoir témoigné des agissements définis aux alinéas précédents ou pour les avoir relatés.

(Art. L122-45 alinéas 1 et 3 du Code du travail, modifié par la loi du 23 mars 2006.)

PROVOCATIONS PUBLIQUES À LA DISCRIMINATION

Seront munis comme complices d'une action qualifiée crime ou délit ceux qui, soit par des discours, cris ou menaces proférés dans des lieux ou réunions publics, soit par des écrits, imprimés, dessins, gravures, peintures, emblèmes ou tout autre support de l'écrit, de la parole ou de l'image vendus ou distribués, mis en vente ou exposés dans des lieux ou réunions publics, soit par des placards ou des affiches exposés au regard du public, soit par tout moyen de communication au public par voie électronique, auront directement provoqué l'auteur ou les auteurs à commettre la dite action, si la provocation a été suivie d'effet.

Cette disposition sera également applicable lorsque la provocation n'aura été suivie que d'une tentative de crime (...).

Ceux qui, par l'un des moyens énoncés à l'article 23, auront provoqué à la discrimination, à la haine ou à la violence à l'égard d'une personne ou d'un groupe de personnes à raison de leur origine ou de leur appartenance ou de leur non-appartenance à une ethnie, une nation, une race ou une religion déterminée, de leur sexe, de leur orientation sexuelle ou de leur handicap, seront punis d'un an d'emprisonnement et de 45 000 euros d'amende, ou de l'une de ces deux peines seulement.

En cas de condamnation pour l'un des faits prévus par [l']alinéa précédent, le tribunal pourra en outre ordonner :

1. Sauf lorsque la responsabilité de l'auteur de l'infraction est retenue sur le fondement de l'article 42 et du premier alinéa de l'article 43 de la présente loi ou des trois premiers alinéas de l'article 93-3 de la loi n° 82-652 du 29 juillet 1982, la privation des droits énumérés au 2° (éligibilité) et 3° (fonction juridictionnelle) de l'article 131-26 du Code pénal pour une durée de 5 ans au plus ;
2. L'affichage ou la diffusion de la décision prononcée dans les conditions prévues par l'article 131-35 du Code pénal.

(Art. 23 et art. 24 alinéas 6, 7 et 8 de la loi du 29 juillet 1881, modifiés par les lois du 21 juin et du 30 décembre 2004.)

DIFFAMATION PUBLIQUE À CARACTÈRE RACISTE

La diffamation commise par l'un des moyens énoncés en l'article 23 envers une personne ou un groupe de personnes à raison de leur origine, de leur appartenance ou de leur non-appartenance à une ethnie, une nation, une race ou une religion déterminée, de leur sexe, de leur orientation sexuelle ou de leur handicap, sera punie d'un an d'emprisonnement et de 45 000 euros d'amende ou de l'une des deux peines seulement.

En cas de condamnation pour l'un des faits prévus par [l']alinéa précédent, le tribunal pourra en outre ordonner l'affichage ou la diffusion de la décision prononcée dans les conditions prévues par l'article 131-35 du Code pénal.

(Art. 32 alinéas 2, 3 et 4 de la loi du 29 juillet 1881, modifié par la loi du 30 décembre 2004.)

INJURE PUBLIQUE À CARACTÈRE RACISTE

L'injure, lorsqu'elle n'aura pas été précédée de provocations, commise par l'un des moyens énoncés en l'article 23 envers une personne ou un groupe de personnes à raison de leur origine, de leur appartenance ou de leur non-appartenance à une ethnie, une nation, une race ou une religion déterminée, de leur sexe, de leur orientation sexuelle ou de leur handicap, sera punie de 6 mois d'emprisonnement et de 22 500 euros d'amende.

En cas de condamnation pour l'un des faits prévus par [l']alinéa précédent, le tribunal pourra en outre ordonner l'affichage ou la diffusion de la décision prononcée dans les conditions prévues par l'article 131-35 du Code pénal.

(Art. 33 alinéas 3, 4 et 5 de la loi du 29 juillet 1881, modifié par la loi du 30 décembre 2004.)

DÉLITS RACISTES : DÉLAI DE PRESCRIPTION ALLONGÉ

Pour les délits prévus par l'article 24 alinéa 8, l'article 24 bis, l'article 32 alinéa 2 et l'article 33 alinéa 3, le délai de prescription (...) est porté à un an [à compter de la commission de l'infraction, quel que soit le support, y compris Internet].

(Art. 65-3 de la loi du 29 juillet 1881, créé par la loi du 9 mars 2004.)

LE RACISME COMME CIRCONSTANCE AGGRAVANTE

Dans les cas prévus par la loi, les peines encourues pour un crime ou un délit sont aggravées lorsque l'infraction est commise à raison de l'appartenance ou de la non-appartenance, vraie ou supposée, de la victime à une ethnie, une nation, une race ou une religion déterminée (...)

(Art. 132-76 du Code pénal, créé par la loi du 3 février 2003 et modifié par la loi du 9 mars 2004.)

Les peines encourues sont alors alourdies. Exemples :

- homicide volontaire : réclusion criminelle à perpétuité (au lieu de 30 ans de réclusion) ;

- tortures et actes de barbarie : 20 ans de réclusion (au lieu de 15 ans) ;

- vol, menaces de mort, violences ayant entraîné une incapacité temporaire de travail de plus de 8 jours : 5 ans d'emprisonnement (au lieu de 3 ans) et 75 000 euros d'amende (au lieu de 45 000) ;

- violences n'ayant entraîné aucune incapacité de travail : 3 ans d'emprisonnement et 45 00 euros d'amende (au lieu d'une simple contravention de 4e classe, soit 750 euros maximum) ;

- dégradations de bien privé par moyens dangereux : 20 ans de réclusion (au lieu de 10) et 150 000 euros.

DIFFAMATION OU INJURE NON PUBLIQUE À CARACTÈRE RACISTE

La diffamation ou l'injure non publique commise envers une personne ou un groupe de personnes à raison de leur origine ou de leur appartenance ou de leur non-appartenance, vraie ou supposée, à une ethnie, une nation, une race ou une religion déterminée , ou à raison de leur sexe, de leur orientation sexuelle ou de leur handicap, est punie de l'amende prévue pour les contraventions de la 4e classe (soit 750 euros maximum).

(Art. R624-3 et R624-4 du Code pénal, modifiés par le décret en Conseil d'État du 25 mars 2005.)

DISSOLUTION DES GROUPES RACISTES

Seront dissous, par décret rendu par le Président de la République en conseil des ministres, toutes les associations ou groupements de fait (...) qui, soit provoqueraient à la discrimination, à la haine ou à la violence envers une personne ou un groupe de personnes à raison de leur origine ou de leur appartenance ou de leur non-appartenance à une ethnie, une nation, une race ou une religion déterminée, soit propageraient des idées ou théories tendant à justifier ou encourager cette discrimination, cette haine ou cette violence. (...)

(Art. 1-6° de la loi du 10.1.1936, modifié par la loi du 9 septembre 1986.)

DONNÉES À CARACTÈRE DISCRIMINATOIRE

Le fait, hors les cas prévus par la loi, de mettre ou de conserver en mémoire informatisée, sans le consentement exprès de l'intéressé, des données à caractère personnel qui, directement ou indirectement, font apparaître les origines raciales ou ethniques, les opinions politiques, philosophiques ou religieuses, ou les appartenances syndicales des personnes, ou qui sont relatives à la santé ou à l'orientation sexuelle de celles-ci, est puni de 5 ans d'emprisonnement et de 300 000 euros d'amende.

(Art. 226-19 du Code pénal, modifié par la loi du 6 août 2004.)

CONTESTATION DES CRIMES CONTRE L'HUMANITÉ

Seront punis d'un an d'emprisonnement et de 45 000 euros d'amende ou de l'une de ces deux peines seulement ceux qui auront contesté, par un des moyens énoncés à l'article 23, l'existence d'un ou plusieurs crimes contre l'humanité tels qu'ils sont définis par l'article 6 du statut du Tribunal militaire international annexé à l'accord de Londres du 8 août 1945 et qui ont été commis soit par les membres d'une organisation déclarée criminelle en application de l'article 9 dudit statut, soit par une personne reconnue coupable de tels crimes par une juridiction française ou internationale.

Le tribunal pourra en outre ordonner l'affichage ou la diffusion de la décision prononcée dans les conditions prévues par l'article 131-35 du Code pénal.

(Art. 24 bis de la loi du 29 juillet 1881, modifié par la loi du 16 décembre 1992.)

LES CRIMES CONTRE L'HUMANITÉ

Constitue un génocide le fait, en exécution d'un plan concerté tendant à la destruction totale ou partielle d'un groupe national, ethnique, racial ou religieux, ou d'un groupe déterminé à partir de tout autre critère arbitraire, de commettre ou de faire commettre, à l'encontre de membres de ce groupe, l'un des actes suivants :

- atteinte volontaire à la vie ;
- atteinte grave à l'intégrité physique ou psychique ;
- soumission à des conditions d'existence de nature à entraîner la destruction totale ou partielle du groupe ;
- mesures visant à entraver les naissances ;
- transfert forcé d'enfants.

Le génocide est puni de la réclusion criminelle à perpétuité.

La déportation, la réduction en esclavage ou la pratique massive et systématique d'exécutions sommaires, d'enlèvements de personnes suivis de leur disparition, de la torture ou d'actes inhumains, inspirées par des motifs politiques, philosophiques, raciaux ou religieux et organisées en exécution d'un plan concerté à l'encontre d'un groupe de population civile sont punies de la réclusion criminelle à perpétuité.

(Art. 211-1 et 212-1 du Code pénal, modifiés par la loi du 6 août 2004.)

ATTEINTE RACISTE AU RESPECT DES MORTS

Toute atteinte à l'intégrité du cadavre (...), la violation ou la profanation de tombeaux, de sépultures ou de monuments édifiés à la mémoire des morts est punie d'un an d'emprisonnement et de 15 000 euros d'amende.(...)

Lorsque [ces] infractions (...) ont été commises à raison de l'appartenance ou de la non-appartenance, vraie ou supposée, des personnes décédées à une ethnie, une nation, une race ou une religion déterminée, les peines sont portées à 3 ans d'emprisonnement et à 45000 euros d'amende.

(Art. 225-17 et art. 225-18 du Code pénal, modifiés par l'ordonnance du 19 septembre 2000.)

LA TRAITE DES ÊTRES HUMAINS

La traite des êtres humains est le fait, en échange d'une rémunération ou de tout autre avantage (...), de recruter une personne, de la transporter, de la transférer, de l'héberger ou de l'accueillir, pour la mettre à la disposition d'un tiers, même non identifié, afin soit de permettre la commission contre cette personne des infractions de proxénétisme, d'agression ou d'atteintes sexuelles, d'exploitation de la mendicité, de conditions de travail ou d'hébergement contraires à sa dignité, soit de contraindre cette personne à commettre tout crime ou délit.

La traite des êtres humains est punie de 7 ans d'emprisonnement et de 150 000 euros d'amende.

(Art. 225-4-1 du Code pénal, créé par la loi du 18 mars 2003.)

ACTION EN JUSTICE CONTRE LE RACISME

Toute association régulièrement déclarée depuis au moins cinq ans à la date des faits, se proposant par ses statuts de combattre le racisme ou d'assister les victimes de discrimination fondée sur leur origine nationale, ethnique, raciale ou religieuse, peut exercer les droits reconnus à la partie civile en ce qui concerne, d'une part, les discriminations réprimées par les articles

225-2 et 432-7 du code pénal et l'établissement ou la conservation de fichiers réprimés par l'article 226-19 du même code, d'autre part, les atteintes volontaires à la vie et à l'intégrité de la personne, les menaces, les vols, les extorsions et les destructions, dégradations et détériorations qui ont été commis au préjudice d'une personne à raison de son origine nationale, de son appartenance ou de sa non-appartenance, vraie ou supposée, à une ethnie, une race ou une religion déterminée.

Toutefois, lorsque l'infraction aura été commise envers une personne considérée individuellement, l'association ne sera recevable dans son action que si elle justifie avoir reçu l'accord de la personne intéressée ou, si celle-ci est mineure, l'accord du titulaire de l'autorité parentale ou du représentant légal, lorsque cet accord peut être recueilli.

(Art. 2-1 du Code de procédure pénale, modifié par la loi du 9 mars 2004.)

DÉFENSE DES PERSONNES ET DE LA SOCIÉTÉ CONTRE LE RACISME

Dans le cas de diffamation envers les particuliers prévu par l'article 32, et dans le cas d'injure prévu par l'article 33, paragraphe 2 de la loi du 29 juillet 1881, la poursuite n'aura lieu que sur la plainte de la personne diffamée ou injuriée.

Toutefois, la poursuite pourra être exercée d'office par le ministère public lorsque la diffamation ou l'injure aura été commise envers une personne ou un groupe de personnes à raison de leur origine ou de leur appartenance ou de leur non-appartenance à une ethnie, une nation, une race ou une religion déterminée. (...)

Toute association régulièrement déclarée depuis au moins cinq ans à la date des faits, se proposant, par ses statuts, de défendre la mémoire des esclaves et l'honneur de leurs descendants, de combattre le racisme ou d'assister les victimes de discrimination fondée sur leur origine nationale, ethnique, raciale ou religieuse, peut exercer les droits reconnus à la partie civile en ce qui concerne les infractions prévues par les articles 24 (dernier alinéa), 32 (alinéa 2) et 33 (alinéa 3) de cette loi.

(Art. 48-6° et 48-1 de la loi du 29 juillet 1881, modifiés respectivement par les lois du 30 décembre 2004 et du 21 mai 2001.)

Toute association régulièrement déclarée depuis au moins cinq ans à la date des faits, qui se propose, par ses statuts, de défendre les intérêts moraux et l'honneur de la Résistance ou des déportés peut exercer les droits reconnus à la partie civile en ce qui concerne l'apologie des crimes de guerre, des crimes contre l'humanité ou des crimes ou délits de collaboration avec l'ennemi et en ce qui concerne l'infraction prévue par l'article 24bis de la loi du 29 juillet 1881.

(Art. 48-2 de la loi 29 juillet 1881, créé par la loi du 13 juillet 1990.)

LE STAGE DE CITOYENNETÉ

Lorsqu'un délit est puni d'une peine d'emprisonnement, la juridiction peut, à la place de l'emprisonnement, prescrire que le condamné devra accomplir un stage de citoyenneté (...).

Cette peine ne peut être prononcée contre le prévenu qui la refuse ou n'est pas présent à l'audience.

Le stage de citoyenneté (...) prévu à l'article 131-5-1 et rendu applicable aux mineurs de 13 à 18 ans (...) a pour objet de rappeler au condamné les valeurs républicaines de tolérance et de respect de la dignité de la personne humaine et de lui faire prendre conscience de sa responsabilité pénale et civile ainsi que des devoirs qu'implique la vie en société. Il vise également à favoriser son insertion sociale.

Lorsqu'il concerne une personne condamnée pour une infraction commise avec la circonstance aggravante [de racisme] prévue par l'article 132-76, il rappelle à l'intéressé l'existence des crimes contre l'humanité, notamment ceux commis pendant la Seconde Guerre mondiale.

La durée du stage de citoyenneté (...) ne peut excéder un mois. La durée journalière de formation effective ne peut excéder six heures.

(Art. 131-5-1 du code pénal, créé par la loi du 9 mars 2004 et art. R131-35 et R131-36 du Code pénal, modifiés par le décret en Conseil d'État du 27 septembre 2004.)

Table des matières

Carnet d'adresses

Il existe une autorité administrative indépendante et de nombreuses associations qui agissent contre le racisme. Si vous êtes victimes ou témoins d'attitudes racistes, n'hésitez pas à les contacter :

Halde (Haute autorité de lutte contre les discriminations et pour l'égalité)
11 rue Saint-Georges, 75009 Paris
Tél. : 08.1000.5000. Site : www.halde.fr

LICRA (Ligue internationale contre le racisme et l'antisémitisme)
42 rue du Louvre, 75001 Paris
Tél. 01.45.08.08.08. Site : www.licra.org

MRAP (Mouvement contre le racisme et pour l'amitié entre les peuples)
43 boulevard Magenta, 75010 Paris
Tél. : 01.53.38.99.99. Site : www.mrap.fr

SOS Racisme
51 avenue de Flandre, 75019 Paris.
Tél. : 01.40.35.36.55. Site : www.sos-racisme.org

Ligue des droits de l'homme
138 rue Marcadet, 75018 Paris.
Tél. : 01.56.55.51.00. Site : www.ldh-france.org

En Belgique :
MRAX (Mouvement contre le racisme, l'antisémitisme et la xénophobie)
37 rue de la Poste 37, B-1210 Bruxelles
Tél. : +32.2.209.62.50. Site : www.mrax.be

Dans la même collection :

Le grand livre des droits de l'enfant
Alain Serres / Images de Pef

Le grand livre du jeune citoyen
Bernard Épin / Images de Serge Bloch

Le grand livre des filles et des garçons
Brigitte Bègue, Anne-Marie Thomazeau et Alain Serres / Images d'Antonin Louchard et Monike Czarnecki

On vous écrit de la Terre
Les enfants du monde / Images de Martin Jarrie

Le grand livre contre toutes les violences
Brigitte Bègue, Anne-Marie Thomazeau, Alain Serres / Images de Bruno Heitz

Le grand livre pour sauver la planète
Brigitte Bègue, Anne-Marie Thomazeau, Images de Pef

Dépôt légal : mars 2007
Achevé d'imprimer en mars 2007 sur les presses de l'imprimerie Clerc
à Saint-Amand-Montrond (18) - France

Race.

Sans race.

Sans aucune race.

Sans aucune distinction de race.

Nadia, Audrey, Samia, Jean, Yacine, Sophie, Aminata, Tako, M

Sans aucune distinc

Sans aucune distinction de race, je veux viv

Sans aucune distinction de

Sans aucune distinction de race, je veux vivre e

Sans aucune distin
et me faire de nou

Sans aucune distinction de race,
et me faire de nouveaux amis pa